给孩子讲点

宿清宣 ◎ 主编

国学精粹

华龄出版社
HUALING PRESS

责任编辑：程　扬
责任印制：李未圻
封面设计：颜　森

图书在版编目（CIP）数据

给孩子讲点国学精粹 / 宿清宣主编. -- 北京：华
龄出版社，2018.8
ISBN 978-7-5169-1240-9

Ⅰ.①给… Ⅱ.①宿… Ⅲ.①国学 – 少儿读物 Ⅳ.
①Z126-49

中国版本图书馆CIP数据核字（2018）第166983号

书　　名	给孩子讲点国学精粹
作　　者	宿清宣　主编

出 版 人	胡福君		
出版发行	华龄出版社		
地　　址	北京市东城区安定门外大街甲57号	邮编	100011
电　　话	58122254	传真	58122264
网　　址	http://www.hualingpress.com		

印　　刷	三河市东兴印刷有限公司		
版　　次	2019年7月第1版	2019年7月第1次印刷	
开　　本	710×1000　1/16	印　张	14
字　　数	180千字		
定　　价	39.80元		

（如出现印装质量问题，调换联系电话：010-82865588）

前言
Preface

　　"逝者如斯，不舍昼夜！"光阴如白驹过隙，在同样的春夏秋冬中，我们的祖先已经走过了不同的悲欢离合，最后一代代沉淀下来的，就是我们所要继承的精粹——作为中国人的灵魂之所在。

　　国学虽不是我们生活中的全部，却是必不可少的一部分。我们要学习的也不仅仅是国学知识，还有以国学知识为载体的中国传统的灵魂。我们的孩子面临的是一个开放的国际化的大环境，那么如何在未来的社会中不迷失自我，有自己坚守的一方水土，如何选择有价值的学习，就成为我们及孩子目前所要面临的问题。也就是说，我们目前教给孩子的东西，要看孩子在十年、二十年之后能否有用，而国学正是我们的孩子所需要的。

　　国学不仅包括了四书五经、天文地理，还有丰富的历史典故和中国传统的思想。其中有安身立命的原则，也有忍让谦逊的智慧；有穷则独善其身、达则兼济天下的大丈夫气概，也有知足常乐、安贫乐道的生活哲学。"有朋自远方来，不亦乐乎？人不知而不愠，不亦君子乎？"这样的话无论翻译成世界上的哪一种语言，都不会褪去光芒。国学是一个巨大的矿藏，是世世代代的中国人栽培起来的精神丛林，也是孩子们生活常识中应有的一部分。

父母爱其子，则为之计长远。能够陪伴孩子走完一生的，是一颗安稳的心灵、一种平和的心态和一个具备生活常识的头脑。而这一切，正是国学能够带给孩子的收获。

本书推荐给家长和孩子的国学精粹，仅仅是一张通往国学的趣味导图。在"经史子集"的主题公园当中，孩子们会找到包含人生哲理的宝石；在文学艺术的宫殿里，藏着唐诗宋词的合璧；在神秘刺激的历险游戏中，父母和孩子可以齐心合力打通佛、道两关；在历史再现的节目中，雕梁画栋的皇宫和小桥流水的南方庭院，住着讲究繁文缛节的"老夫子"，他们生活得富有诗意、从容潇洒。

在结束的时候，将由那些影响了中国历史的人物与孩子们道别，他们是国学思想的继承者，也是对传统有所影响的建设者。因为有他们的存在，所以中国传统才更加值得一讲，值得一听，值得孩子们留在心中。

要将浩瀚的五千年历史凝结为一本指南书，笔者在取舍时常感到为难，因为实在有太多可以说的，所以不舍得删掉任何一个知识点。但考虑到孩子们学习的兴趣和生活经历，最终还是优中择优地遴选出一些既有代表性、又有趣味性、更具权威性的点，汇集成这样一本书。

目 录

Contents

第六章　诗词曲赋，各领风骚

第七章　古典艺术，净与杂的万花筒

第十一章　影响中国的历史人物

第一章

品读经典，修身始于此

《周易》：哲学的盛典

【《周易》其书】

孔子曾经说过："加我数年，五十以学《易》，可以无大过矣。"假如再给我一段时间，从五十岁的时候开始学习《易》，我的人生也就不会有什么大的过错了。《周易》是一部讲宇宙万物与人类社会变易法则的书，天、地、人无不包含一阴一阳的矛盾双方，"阴阳接而变化起""刚柔相推而生变化"，整个宇宙都在奔流不息地变化着，没有一刻停止。不少哲学家、思想家、科学家都从《周易》中汲取思想营养，锻炼自己的辩证思维能力。

【《周易》名句】

方以类聚，物以群分，凶吉生矣。

解读：天地间的事物是按照同类相聚来划分的，凶吉祸福就在这中间了。今天我们说"物以类聚、人以群分"，也是来自这里。和优秀的人在一起是吉，而和懒惰放纵的人在一起则是凶。

一阴一阳谓之道，继之者善之，成之者性之。

解读：阴阳相互作用，就是天地间的规律，集成这种法则就是好的，使其成为人的规律，那就是天赋秉性。阴阳相济是中国文化的核心，《周易》就是六经中的核心。读懂了它，也就能明白很多传统文化的奥妙了。

尺蠖之屈，以求信也；龙蛇之蛰，以存身也。

解读：尺蠖尽量弯曲自己的身体，是为了伸展前进；龙蛇冬眠，是为了保全性命。人也要学会退让和忍受，才能将自己的能力发挥到极致。

吉人之词寡，躁人之词多。

解读：老实敦厚的人话少，浮躁虚妄的人话多。谨言慎行是中国人的做人哲学，凡事要多学多体会，而不要在忙碌中出口成错。

二人同心，其利断金；同心之言，其臭如兰。

解读：同心协力的人，可以把坚韧的金属弄断；同心同德的人，他们的说法像兰花的香味一样令人容易接纳。齐心协力不仅是人类得以从自然中脱颖而出的原因，而且是我们融入社会时必须具备的一种品德。

天行健，君子以自强不息。

解读：君子应该像天宇一样运行不息，即使颠沛流离，也不屈不挠。古人看到天空昼夜不停地转动，日月星辰都附着在上面，就认为天空的特性是"强健"，人也应该像永恒转动的天空那样，奋发有为，生命不已，奋斗不止。

君子藏器于身，待时而动。

解读：君子要不断积累才能，等到有利的时机就发挥出来。机会只照顾有准备的人，在机会来临之前，我们要先提高自己的能力，这样才不会错失良机。

【《周易》故事】

半杯水

《周易》的卦象是由阳爻"——"和阴爻"— —"组成的，六十四卦，每一卦有六爻，这六爻只要任意变动其中一爻，阴变阳或者阳变阴，立即就会出现不同卦象，产生不同意义。这个事实告诉我们，即使是吉，也会变成凶；即使是贫困得一无所有，也可能变得富足充裕。所以，面对复杂的自然和社会变化，要沉着冷静，多想想为什么。

现代人喜欢讲这样一个故事：一只杯子里面盛着水，一个人看了，说："唉，只剩半杯水了。"另一个人看了，却说："这不是很好吗？里面还有半杯水呢！"

同是半杯水，人们的看法就这样不同，但是，第一个人告诉口渴了的人，只有半杯水了，要节约，不要随随便便浪费掉；第二个人告诉口渴了的人，还有半杯水，不要放弃希望。所以，他们的说法没有对错之分，关键看我们有没有一双好耳朵，能听懂其中的奥妙。

《尚书》：华夏的曙光

【《尚书》其书】

关于历史，我们有很多疑问，但这一切疑问需要有历史资料才能回答。《尚书》是一部将上古历史文件和古代事迹汇编在一起的书，其中保存了商周，特别是西周初期的一些重要史料。

《尚书》也被文学史家称为我国最早的散文总集，和《诗经》的文体并列。但在它的散文中，绝大部分是当时官府处理国家大事的公务文书，也有对美德的褒扬称颂等。

【《尚书》名句】

德惟治，否德乱。

解读：推行德政，天下就会安定，没有了道德，社会就会大乱。道德是一切生活的基础，如果一个国家的道德沦丧了，那么这个国家就没有希望了。

书之论事，昭如日月。

解读：书中所记载的故事，历代伟人的功绩，如同日月一样明亮，人所共见。这是子夏在读完书之后的感慨，前人的功劳都记载在书中，他们的伟大我们不能忘怀。从优秀的读本当中发现伟大之处，并用来提高自己，我们的成长才能越来越稳健，我们自身也才能越来越有力量。

日月光华，旦复旦兮。

解读：太阳和月亮的光芒，日复一日永不变化。今天著名的复旦大学，她的名字就出自《尚书》中的这句。以每天都充满希望的日出，寄寓着兴学救国的宏大理想。

无耻过作非。

解读：不要因为犯了错误感到羞耻，就文过饰非。犯错误并不可怕，最可怕的是犯了错误，还不愿意面对和改正，这样只会错失纠正错误的机会。

不矜细行，终累大德。

解读：不在细节上注意，就会败坏大的品德。细节是体现品德的亮点，如果忽视了细节，那么整个人就会显得粗糙，经不起细看，那些美好的德行也就是夸夸其谈了。

非知之艰，行之惟艰。

解读：知道道理不难，难的是把它落实到行动上。很多人都明白事理，但是真正做到的人总是很少，所以才会有人与人之间的差距。

无稽之言勿听，毋询之谋勿庸。

解读：毫无根据的话不要听，没有咨询过别人的计划不要使用。我们要有辨别是非的能力，不要去听流言蜚语，但是要善于向别人请教。

好问则裕，自用则小。

解读：谦虚好问的人就会气度宽宏，自以为是的人就会气量狭小。善于向别人学习，不仅可以增加知识，而且会让我们的气量更大，更能接纳别人的不同看法。这样才能更好地融入团体。

满招损，谦受益。

解读：骄傲自满就会吃亏，谦虚好学才能受益。虽然这个道理我们都明白，但是"行之惟艰"。怎样让自己变成一个"谦谦君子"，其实就在于我们对自己的看法。要知道，我们永远也不能完美，只能更接近完美。

玩人丧德，玩物丧志。

解读：喜欢玩弄别人的人，品德会因之受损；沉溺于某一种癖好的人，志向也会受损。所以培养健康的兴趣爱好，对青年人来说是非常重要的。

【《尚书》故事】

《尚书》中的九德

有一次，皋陶对大禹说："诚信地实行德政，就会谋略英明，人民团结。"于是大禹问如何去做到诚信。

皋陶说："问得好。谨慎自身，思虑深远。依次与九族亲戚敦厚，使众贤臣勉力辅佐，由近及远，其道理就在这里。"

禹听完向他拜谢道："说得对啊！"

皋陶又说："还要知人善任，还要使民众安居乐业。"

大禹叹气说："唉！连帝尧也为这些而犯难，知人就是明哲，能任用贤人；安定民心就是慈爱，百姓就会怀念他。如果做到了明哲又受人爱戴，就不会担心驩兜，也不会流放三苗，也不会畏惧花言巧语、善于伪装的奸邪之人了。"

皋陶说："是啊，行为有九种美德，说到某人有美德，必定要将其行事一件件列出来。"

大禹问什么是九德。

皋陶说："宽宏而有威严，柔和而有主见，老实谨慎而严肃庄重，多才而不傲慢，和顺而刚毅，耿直而温和，简约而刚正，刚强而求实，勇敢而有道义。能够拥有这些美德，并坚持一贯，就吉祥了啊！"

《诗经》：先民的歌唱

【《诗经》其书】

《诗经》是我国第一部诗歌总集，共收入自西周初期至春秋中叶约五百年间的诗歌三百零五篇，所以又称"诗三百"。它开创了我国古代诗歌创作的现实主义的优秀传统。《诗经》"六义"指的是风、雅、颂、赋、比、兴，前三个说的是内容，后三个说的是手法。《风》《雅》《颂》三部分，是依据音乐的不同而划分的。

【《诗经》名句】

投我以木瓜，报之以琼琚。

解读：你赠给我果子，我回赠你美玉。一个长途跋涉的行者，在饥渴难耐之时，受到别人的惠赠，可能是赠予他木瓜或者桃李之类的鲜果以解渴或者止饥。但受惠之人并非就此忘记了这滴水之恩，而是以涌泉报之——拿出随身携带的贵重的美玉相赠。

知我者谓我心忧，不知我者谓我何求。悠悠苍天，此何人哉？

解读：了解我的人，说我心中忧愁；不了解我的人，说我有什么奢求。高远的苍天啊，是谁把国家害成这样？这是在抒发抑郁孤独的感情。

战战兢兢，如临深渊，如履薄冰。

解读：小心谨慎，好像走在深渊边上，好像走在薄冰的冰面上。这是在形容做事的时候应该有的一种谨慎的态度，如果我们能有这种如履薄冰的态度，就能办好每一件事情。

哀哀父母，生我劬（音 qú）劳。

解读：悲伤啊，父母生我养我多么辛苦！感恩和孝顺是我们民族的传统美德，从古至今，父母的伟大辛劳都是儿女前进的动力和情感的依托。孝顺，在任何时代都不会过时。

它山之石，可以攻玉。

解读：其他山上的石头，也可以用来为我雕琢美玉。善于向别人学习，从别人的经验中找到解决问题的方式，这是聪明人的选择。

既明且哲，以保其身。

解读：既明辨是非，又聪明过人，这样的人就能保全自己的生命和名誉。我们现在常说的明哲保身，就是要懂得在合适的时候说合适的话，这样才能在社会中不伤害他人，而又能从容地生活。

白圭之玷，尚可磨也；斯言之玷，不可为也。

解读：白玉上的斑点还可以磨去，但是言语上的污点，是无法收回删去的。所以，说话的时候要三思而后言，不能因为一时生气就说出伤人的话，那样的伤害是无法磨去的。

不忮（音 zhì）不求，何用不臧?

解读：不抱怨不嫉妒，这类人的行为怎么会不善呢？知足常乐，不忘修身，方为君子之道。

予其惩，而毖后患。

解读：我要将过去的错误作为警戒，以防止后来再犯错。现在就说"惩前毖后"，就是要不断吸取过去的教训，纠正以后的行为。这样，以前的错误才会变得有价值。

【《诗经》故事】

坦率地生活

《诗经》与以往民间流传的诗歌有所不同，它很少幻想和虚构，而是采用现实主义的手法，直接反映人们生活中最真实的一面：自然、淳朴。作为一种艺术形式，尚且可以做到如此真实，我们的生活也未尝不能做到。虽然我们每个人都有一种自我保护心理，觉得社会过于复杂，害怕受到伤害，不愿意将自己最真实的一面展示给人看，可是这并不妨碍我们拒绝虚假。当我们尝试着敞开心扉，将那层把别人隔于千里之外的面具拿掉的时候，我们就会发现，生活本身并没有过多的负担，一直以来都是我们自己在折磨自己，把自己弄得疲惫不堪。

三礼：儒家的理想国

【三礼之书】

经常听到我们自称中国是一个"文明古国"，因为我们

有三礼：《周礼》《仪礼》《礼记》这三本书。

《周礼》是三礼之首，这部书搜集了周王朝及各诸侯国的官制及其他制度，以儒家的政治理想加以增减取舍汇编而成。《仪礼》主要是阐述春秋战国时期士大夫阶层的礼仪。《礼记》是战国至秦汉年间的儒家学者为解释说明经书《仪礼》而写的文章选集。《礼记》内容广博，门类杂多，涉及政治、法律、道德、哲学、历史、祭祀、文艺、日常生活、历法、地理等诸多方面，包罗万象。

【《礼记》名句】

修身践言，谓之善行。行修言道，礼之质。

解读：修身养性，信守承诺，这就是好的品行。言行合乎道义，这就是礼的本质。礼并不是什么玄妙的东西，只要言语得体，落落大方，就足够了。

是故学然后知不足，教然后知困。

解读：只有学习之后，才能明白不足之处，受教之后，才知道知识上的困乏。越是善于学习的人，越会明白自己还有很多不懂的地方，只有不学无术的人，才会觉得自己已经很有学问了。

苟利国家，不求富贵。

解读：只求有利于国家，不求个人富贵。一个人能够为国家做一点贡献，他的人生才会更加宽阔和有价值。为国家做贡献不全是上战场、当政客，只要做好自己的事情，就可以利国利民。

用人之知去其诈，用人之勇去其怒，用人之仁去其贪。

解读：君主用人要用他的智慧，而摈弃他的奸诈；用他的勇气，而摈弃他的急躁；用他的仁慈，而摈弃他的贪欲。任何人都有缺点和优点，聪明的人善于运用别人的优点而不取别人的缺点。这样才是善于用人。

人之所以为人者，礼义也。

解读：人之所以是人，是因为有义礼。人一旦不讲道义和礼节，唯利是图，就枉称为人了。

父母有过，谏而不逆。

解读：父母有了过错，子女能劝谏但不要冒犯他们。人人都有可能犯错误，需要别人的提醒，但是身为子女，在提醒父母的时候要态度恭敬，不能过于尖锐刻薄，这是有违孝道的。

记问之学，不足以为师。

解读：只是让学生记忆背诵，这种人做不了老师。要成为合格的老师，就要懂得启发学生去独立思考，有自己的观点和见解。

苟日新，日日新，又日新。

解读：如果每天都能让自己进步的话，那就应该日日更新，不断进入新的境界。只有不断提高自己，才能不停留在原地而有所突破，这样才算是真正的成长。

独学而无友，则孤陋而寡闻。

解读：如果学习中缺乏学友之间的交流切磋，就会导致知识狭隘、见识短浅。古今中外许多善于读书治学并且成大器的人，大多十分重视结交学友，并在讨论交流中获益匪浅。学习是一个不断思考的过程，多向他人请教，才能提高自己的知识水平，拓宽认识的角度。

虽有佳肴，弗食不知其旨也；虽有至道，弗学不知其善也。

解读：虽有精美的食物，不吃它，就不知道它的味道美；虽有很好的道理，不学它，就不知道它的高妙。"纸上得来终觉浅，绝知此事要躬行。"我们今天读了很多优秀的书，也知道了历史上伟大人物所具有的品质。但是，这还不够，当我们面对事情的时候，我们只有按照书中的那些观点去做，才知道对不对。

【《礼记》故事】

礼尚往来

"往而不来，非礼也；来而不往，亦非礼也"，指礼节上应该有来有往。现也指以同样的态度或做法对待对方。春秋时期，孔子在家收弟子开坛讲学，引起了鲁定公的注意，因此孔子经常到宫中讲学。季府的总管阳虎特地看望孔子，孔子却借故不见阳虎，因为他在地方上为非作歹。有一次，阳虎特地给孔子留下一只烤乳猪，他知道孔子是最讲究礼尚往来的，孔子迫于无奈，还是回访了不愿意见的阳虎。

《论语》：中国人的圣书

【《论语》其书 】

"有朋自远方来，不亦乐乎？"这句唱响在 2008 年北京奥运会开幕式上的话，就出自《论语》的第一篇《学而》。开幕式上，那些头戴长冠、手持竹简、宽衣长袖的儒生，也是模仿当年吟诵《论语》的儒生；他们手中的竹简，就是孔子曾经"韦编三绝"的"韦编"，上面就是用毛笔竖排书写的《论语》。

《论语》共有二十篇，是孔子的弟子记录孔子善言的书。据国学家考证，《论语》不是一个人在一个时期里完成的，而是不同的人先后完善而成的，最后成书在战国初期，距今已经有两千四百年了。

【《论语》名句 】

学而时习之，不亦说乎？有朋自远方来，不亦乐乎？

解读：在学习的过程中，经常温习，这不是很快乐的事情吗？有朋友从遥远的地方赶来，可以和我讨论学问，这不是很愉快的事情吗？这是《论语》首篇《学而》中的话。宋代的大学问家朱子分析说，《论语》将学习放在书的开篇，就是让大家明白，学习是一切事情的基础。

学而不思则罔，思而不学则殆。

解读：学习但不思考，或者思考而不学习，都会使人变得迷惑、懈怠。孔子主张学与思不能偏废，只有学思结合，

方可成为有学识、有道德之人。《论语》中多处言及学与思的重要性，这些都是根据具体情况而言，但总体强调应将学与思适当结合。

知之为知之，不知为不知，是知也。

解读：知道就是知道，不知道就是不知道，这样的态度才是明智的。这是孔子在告诉子路如何求知时说的，这说明了一个深刻的道理：对于文化知识，人们应当虚心学习，尽可能多地加以掌握。但人的知识再丰富，毕竟有限，人们总有不懂之处，因此应持实事求是的态度，承认不足，不断学习，这才是明智之举。

子以四教：文、行、忠、信。

解读：孔子主张博学，以文、行、忠、信四项内容教授学生。这里的"文"主要指文献典籍，"行"主要指德行，"忠"指尽己，对人尽心竭力，"信"指诚实。孔子在教学中让弟子博学于文，广泛学习文化知识；注重德行，加强品行修养；主忠信，做到待人忠诚笃厚，与人坚守信约。

朝闻道，夕死可矣。

解读：早上明白了道理，就是晚上死去也没有遗憾了。孔子这里所讲的"道"，是君子的信仰，也是为人处世的最高准则。孔子主张"士志于道"，要在寻求人生的大道上面努力，而不是只关心吃饭穿衣这样的事情；还强调"人能弘道，非道弘人"，人必须首先修养完善自身，才可能将道发扬光大；反之，只是以道来粉饰自身，哗众取宠，就不是真正的君子所为。

三人行，必有我师焉，择其善者而从之，其不善者而改之。

解读：三个人当中，必然有值得我学习的老师。学习他们好的方面，不好的方面就在自己身上加以改正。孔子学无常师，经常随时随地虚心求教，他向老子学习过，也向路上的孩童请教过。他不仅以正面的优秀的人为师，而且以不如自己的人为师，看到别人身上的不足，就反思自己是不是也存在这样的情况，如果有，就赶紧改正。

知者不惑，仁者不忧，勇者不惧。

解读：智慧的人不会感到迷惑，宅心仁厚的人不会总是担忧，勇敢的人不会感到害怕。孔子认为君子必须具备的品格有许多，智、仁、勇是三个重要的范畴。孔子觉得这三条他都没能做到，但希望自己的学生能具备这三德，成为真正的君子。

四海之内，皆兄弟也。

解读：天下的人，都可以称作是兄弟。当司马牛忧愁地说别人都有兄弟而唯独自己没有兄弟时，子夏劝慰说，你不要担心自己是个独生子女，只要你对人有礼貌，四海之内，皆兄弟也。想要"四海之内皆兄弟"，首先自己要做到对人有礼，处事恭敬没有偏颇，也就是"恭而有礼"。

礼之用，和为贵。

解读：礼的运用，以和谐为贵。古代君主的治国方法，可贵之处就在这里。在此，既强调礼的运用要以和为贵，又指出不能无原则地进行调和，而要以礼节制之。这与孔子的

中和理念是一致的。我们所说的"和谐社会"也是出自这里，但并不是说任何事情都不追究，而是要按照礼来。

【《论语》故事】

君子不会走投无路

孔子带着学生到处讲学。有一次，他们被困在陈国与蔡国之间，接连七天不能烧火做饭，大家都又累又饿，但是孔子仍然在屋里抚琴唱歌。

弟子颜渊正在择野菜，听到同学子路、子贡说："老师两次被从鲁国驱逐出来，隐退到了卫国，后来到宋国讲学的时候，差点儿被砍倒的大树压死，还曾经在周地进退两难，现在又被围困在这里。那些要害咱们老师的人还在逍遥法外，也没有人来替我们说句公道话。这种时候，老师还抚琴唱歌，君子难道就这样不把羞耻当回事吗？"

颜渊无法回答这个问题，就进去直接问孔子。孔子把琴推到一边，长叹一声说："仲由（子路）和端木赐（子贡）看问题太短浅了。你去把他们叫进来，我跟他们说说。"

子路和子贡进来了。子路愤愤不平地说："我们在天下传道，却遇到这样的困境，可以说是走投无路了！"

孔子说："怎么可以这么说呢？君子能够通达道义就叫作'通'（左右逢源），不能通达道义才叫作'穷'（走投无路）。现在，我孔丘在这样的乱世之中遇到忧患，是因为我坚持仁义之道。如果因为遇到忧患就放弃仁义之道，还能算君子吗？既然有君子之道，就不能说是走投无路。"

子路和子贡认真地听着，两人互相用余光扫了对方一下。颜渊也在一旁默默地听着。

孔子接着说："你们看到那些松树和柏树了吗？无论天气多么寒冷，霜雪多么凌厉，它们都常青不谢。现在我们在陈蔡之间遇到了阻碍，从而可以考验自己是否能坚持道德仁义，这是一种幸运啊！"

说完，孔子又把琴拿过来，继续抚琴，子路明白了老师的心意，高兴地拿起盾牌随着节拍跳起舞来。

子贡感慨："原来我真的不知道天有多高、地有多厚啊！有道义才能上薄云天，有修养才能承载一切啊！"颜渊也已把孔子的话牢牢记在心上，琢磨着如何落实到自己的言行中去。

半部《论语》治天下

《论语》有多大的威力呢？历史上有一个人只读了半部《论语》，就敢说自己可以治理天下了，这个人就是宋代的丞相赵普。

赵普原先是赵匡胤的手下。赵匡胤陈桥兵变，当上皇帝的事情，赵普也参与其中，可以说有从龙之功。赵匡胤做了皇帝，将国号改为宋，史称宋太祖。后来，赵普又跟随宋太祖东征西讨，统一全国。就这样，宋太祖任命他为宰相。

宋太祖死后，他的弟弟赵匡义继位，史称宋太宗。赵普仍然担任宰相。有人对宋太宗说赵普不学无术，所读之书仅仅是儒家的一部经典《论语》而已，这样的人当宰相不合适。宋太宗不以为然地说："赵普读书不多，这我一向知道。但说他只读过一部《论语》，我不相信。"

有一次宋太宗和赵普闲聊，宋太宗随便问道："有人说你只读过一部《论语》，这是真的吗？"

赵普老老实实地回答说："臣所知道的，确实不超出《论

语》这部分。我只是将这本《论语》从头到尾都读熟、读透。过去臣以半部《论语》辅助太祖平定天下，现在臣用半部《论语》辅助陛下，便天下太平。"后来，家人打开他的书箧，里面果真只有一部《论语》。

就这样，赵普"半部论语治天下"的故事就流传了下来。

《孟子》：儒者的良心

【《孟子》其书】

一个人能有多高呢？顶多七八尺高，像姚明那样就算是巨人了。可是孟子说，人体内可以有一种东西，顶天立地，高大无比。

一个人能走多远呢？顶多几千里，像郑和下西洋，他就算是航海家兼旅行家了。可是孟子说，人体内有一种东西，可以充满于天地四方，只要是宇宙之间，就可以无所不到。

一个人的身体能有多坚硬呢？顶多像健美运动员那样而已，有一身发达的肌肉就了不得了。可是孟子却说，人体内有一种东西，非常刚强，多么大的威力都不能把它摧毁。

一个人的寿命能有多长呢？顶多一百来年，像七八十岁的人就算是寿星了。可是孟子说，人体内有一种东西，可以与天地并存而不朽，历万古而常新。

《孟子》是对孟子言论的汇编，由孟子及其弟子共同编写，是记录了孟子的语言、政治观点和政治行动的儒家经典著作。孟子继承并发扬了孔子的思想，成为仅次于孔子的一代儒家宗师，有"亚圣"之称，与孔子并称为"孔孟"。

【《孟子》名句】

生，我所欲也；义，亦我所欲也。二者不可得兼，舍生而取义者也。

解读：我想要生命，但是也想要道义，如果两者不能同时得到，我宁愿放弃生命，保存道义。道义比生命还重要，只要行为符合道义，即使丧失生命也是值得的。匈牙利诗人裴多菲也认为有比生命更可贵的东西，"生命诚可贵，爱情价更高。若为自由故，二者皆可抛！"在孟子看来则是"若为道义故，两者皆可抛"。

尽信书，则不如无书。

解读：都相信《尚书》上面的话，还不如不读这本书。读书时应该加以分析，不能盲目地迷信书本，不能完全相信它，应当辩证地看问题。

富贵不能淫，贫贱不能移，威武不能屈，此之谓大丈夫。

解读：不在富贵中迷失心灵，不在贫困中动摇意志，不在强大面前卑躬屈膝，这样的人才能称作大丈夫。孟子虽然赞成儒家的仁爱思想，但是从来不被儒家的行为规范束缚，他要求自己成为一个完全意义上的独立的人，身心自由，坚持自己的原则。

枉己者，未有能直人者也。

解读：自身弯曲不正的人，也不能让别人变得正直。我们在要求他人要忠诚、正直的时候，也要先想一想自己是否有这样的品德。如果自己都做不到，又怎能说服别人呢？

士穷不失义，达不离道。

解读：读书人在不得志的时候不要丧失道义，在得志的时候不要背弃道义。任何时候，道义都是为人的根本，不能背弃。如果在得意或者失意的时候背弃了道义，这样的人是不足为信的。

不耻不若人，何若人有。

解读：不如别人还不知道羞耻，这样的人怎能赶上别人？羞耻心是一种进步的动力，如果不知羞耻，这个人也就真的危险了。

贤者以其昭昭，使人昭昭。

解读：贤德之人，自己先弄清楚了问题，然后才能让别人听明白问题。如果自己都没有弄懂，就不能指望别人可以听懂了。

得道者多助，失道者寡助。

解读：有道德的君主会得到别人的支持，没有道德的君主得不到别人的支持。不仅君王如此，我们做人做事，同样也是得道者多助，失道者寡助。

生于忧患，死于安乐。

解读：在充满忧患的环境中，人更有生存能力；在安逸的环境中，人容易沉沦灭亡。我们如今生活在安乐当中，如果不自觉，就很容易堕落颓废，这是不应该的。

掘井九轫（音 rèn）而不及泉，犹为弃井也。

解读：一口井就算是挖了九轫，没有得到泉水，也还是一口废井。我们不能犯五十步笑百步的错误，不达目标不罢休，才不会前功尽弃。

【孟子故事】

威武不屈的孟子

孟子刚到齐国的时候，齐王以有病在身为借口，没有亲自向他询问政事，只是派下人召见他，因此孟子也就推脱说自己有病，不能朝见。第二天，他却出门为朋友吊丧，故意让齐王知道自己其实什么病也没有。齐王知道后派人去探视孟子，孟子的朋友急忙出面周旋，并让孟子不要回家，直接去面见齐王。但是孟子坚持非礼之召不往，仍旧坚持不去，他也算是"威武不能屈"的大丈夫了。

《尔雅》：古代的百科

【《尔雅》其书】

《尔雅》，相当于现在普通话的标准，它是中国最早的一部解释词义的书，相当于中国古代的汉语大词典。在我们常说的"十三经"当中就有《尔雅》，学习《尔雅》，可以了解古代词语。

《尔雅》最后七篇分别是：《释草》《释木》《释虫》《释鱼》《释鸟》《释兽》和《释畜》。这七篇著录了五百九十多种动植物名称，保存了中国古代早期丰富的生物学知识。

【《尔雅》名句】

春为发生，夏为长赢，秋为收成，冬为安宁。

解读：春天的时候万物生发；夏天的时候植物和动物都茁壮成长，树叶茂盛，动物们也都活动频繁；秋天的时候开始收割庄稼；冬天的时候就有一个富足安详的时光了。什么时候该做什么事情，在什么样的季节种何种蔬菜，这些都是经过日积月累积攒下来的宝贵经验。直到今天，农历和二十四节气还一直在沿用，农业对中国的影响，可以说从古至今没有间断过。

父为考，母为妣。

解读：父亲称为"考"，母亲称为"妣"。在现在的祭文当中，依然可以看到"先考""先妣"这样的称谓，指的就是先父和先母。

谓女子，先生为姊，后生为妹。

解读：如果是两个女孩，先出生的称为"姊"，后出生的称为"妹"。在很长一段时间里，中国人称姐姐为"姊姊"，到现在有的地方还在使用这种称谓。从《尔雅》开始，我们对称谓就有了严格的规定。

谷不熟为饥，蔬不熟为馑，果不熟为荒，仍饥为荐。

解读：遇到谷子不能成熟的称为"饥"，蔬菜不能成熟的称为"馑"，瓜果不能成熟的称为"荒"。如果两年都是饥年就称为"荐"。到现在，我们还有"饥馑""饥荒"这样的说法，其实每一个字的背后都有含义。

山夹水，涧。陵夹水，滶。山有穴为岫。

解读：两山之间有水，称为"涧"。两个丘陵之间有水，称为"滶"（音 yú）。山上有洞穴，就称为"岫"（音 xiù）。

水中可居者曰洲，小洲曰陼，小陼曰沚，小沚曰坻；人所为为潏。

解读：水中可以居住的地方叫作洲，比较小的洲叫作陼（音 zhǔ），小一点的陼叫作沚（音 zhǐ），小沚称为坻（音 chí）；人造的岛叫作潏（音 yù）。

蝾螈，蜥蜴。

解读：蝾螈，指的就是蜥蜴。在《尔雅》这本书中，解释的形式就是前面说要解释的词，后面说解释语，与今天的词典一样。统一名称，便于各地的人交流，以免产生误解。

【《尔雅》故事】

雅学

现在有一门"红学"，是研究《红楼梦》的学问，同样也有一门"雅学"，是专门研究《尔雅》的学问。

中国古代有"仓雅之学"的说法。"仓"指字书《仓颉（音 jié）篇》，"雅"指训诂书《尔雅》。"仓雅之学"就是文字训诂之学。雅学的专家团队，在汉魏时有樊光、李巡、孙炎等人。孙炎有《尔雅音》；东晋时，著名的学问家郭璞作《尔雅注》，远胜前人，一直流传至今；宋时有邢昺（音 bǐng）的《尔雅疏》和郑樵的《尔雅注》等；清代雅学最为昌盛，相关的著作极多，统归雅学之列。

第二章

百花齐放的好时代

老子：中国的哲学之父

【老子其人】

老子姓李，名耳，是楚国人。他还有一个名字叫"老聃（音dān）"，传说，他一生下来就与众不同，白眉毛白胡子，所以被称为老子。老子曾担任过藏室史，相当于国家图书馆馆长。他博学多才，孔子在周游列国时，曾专门向老子问礼。

老子的作品名叫《道德经》，又名《老子》。这本书只有五千言，但是却蕴含了丰富的哲学内容，有朴素的辩证法。这本书被译成一千多种语言，是世界上少有的广泛传播的古籍。

【《老子》名句】

邻国相望，鸡犬之声相闻，民至老死不相往来。

解读：两个相邻的国家可以看得见，听得到对方国家里的鸡鸣犬吠，但是两国之间的人直到老死也从不往来。这并不是说老子排外、自闭，而是他对一种淳朴民风的向往。

知足之足，常足。

解读：只有知道知足，才会经常感到满足。有人曾说，世界上绝大部分的快乐和不快乐都是欲望所致。有人锦衣玉食，觉得万事不称心如意；颜回身居陋巷，但是自得其乐。其实，只要经常对自己现在的生活心存感激，就很容易感到快乐了。

天下之至柔，驰骋天下之至坚。

解读：天下最柔软的东西，能在天下最坚硬的东西中穿行驰骋。柔能克刚，水滴石穿。一个微笑能化解误会，一声问候能尽弃前嫌。学会以柔克刚，方能无往不利。

有和无相生，难易相成，长短相形，高下相倾，音声相和，前后相随。

解读：有无相互依存，难和易相反而存在，长和短相比较而显现，高和下相互依赖，音和声相互促进和谐，前和后相互跟随。这是老子的朴素的辩证思想，任何事物都是相比较而存在的，每一个事物之间也是相互联系的。

兵者不祥之器，非君子之器，不得已而用之。

解读：军队是不吉利的工具，不是君子该用的，只有到不得已之时才能动用它。战争是世界上最可怕的事情，是人类的自相残杀，任何人都应该尽一切力量避免战争的发生，因为它是文明的毁灭者，是人性的刽子手。

大器晚成。

解读：宝器都形成得很晚。成大事者也要经过长时间的磨炼才能成功，所以大器晚成，但是要早有所准备，不是等到老了再准备，那就太晚了。

大音希声，大象无形。

解读：最大的声音听不见，最大的形象没有形状。这也是老子的哲学思想，现在我们多用它来形容真正的大师朴实无华，真正的学问简单明了。

夫唯不争，故莫能与争之。

解读：因为他什么都不争，所以没有人能争得过他。"壁立千仞，无欲乃刚"，只有真正无欲无求，才能达到坚强、勇敢、强大的境界。

善用人者为之下。

解读：真正善于用人的人总是非常谦虚，从来不自高自大。唐太宗就是最好的例子，他从来不自以为是，总是虚心求教，所以他被称为"千古一帝"。

知人者智，自知之明。

解读：能够了解别人的人才算有智慧，能够客观认识自己的人才算明智。人贵有自知之明，很多错误，往往就犯在不自知上。客观认识自己是一件很难的事情，但是当你了解了自己，所有的烦恼和痛苦也就会缓解了。

上善若水，水利万物而不争。

解读：最上等的善就好比水，水滋润着天地万物，却与世无争。水的智慧，有谦逊、持之以恒、柔软坚强、善于适应环境等，水的品质正是人人向往的美德。

【老子故事】

孔子问礼

一天，孔子对弟子南宫敬叔说："听说老聃博古通今，

我打算去会会他，你要不要一起？"南宫敬叔同意了，于是他们两人就去见老子。

老子见孔丘千里迢迢而来，非常高兴。孔子先是和他讨论了一番，后来又在老子的介绍下访问了大夫苌弘，学习了礼乐庙会礼仪。几天之后，孔丘向老子辞行，老子一直送到村外，并对他一再嘱咐。

孔子走后，对着一条大河感叹："逝者如斯夫，不舍昼夜！"人生如同流水，一去不回。老子听说了孔子的话，不以为然地说："生老病死都是自然规律，只有贪心的人才会感叹啊！"孔丘解释："我实在惋惜我没能为国家、社会做点什么而已。"

老子手指着滚滚的黄河，对孔丘说："你要学一学水的德。"孔子说："水有何德？"老子说："上善若水：水对万物都有好处，但是它从不争功；水虽然很温柔，但是又很坚韧，滴水石穿。"孔丘听后，恍然大悟。老子说孔子果然是一个可以培养的青年。后来，孔子就离开了老子。

回到鲁国之后，弟子问起孔子的学习心得，孔子说："老子的学问深不可测，他是我见过的最值得学习的一个人！"

庄子：生命有限，精神永恒

【庄子其人】

卢梭、梭罗、尼采、陀思妥耶夫斯基、劳伦斯、德里达……这些名声响彻西方大地的大学者，他们无不在自己的著作中承认：自己的学说，是受了东方两千年前哲学家庄周的影响。

庄子对于他们，是一剂解开心灵迷惑的灵药。

庄子是战国时期的哲学家，《庄子》这本书就是庄子的思想录，其中的精神也在于强调自然，不要蒙蔽了自己，给人生加上太多枷锁。庄子的学说涵盖了社会生活的方方面面，但其根本精神还是归依于老子的哲学。所以，后世将他与老子并称为"老庄"，他们的哲学为"老庄哲学"。

【《庄子》名句】

吾生也有涯，而知也无涯。

解读：我们的生命是有限的，但是知识是无限的。用有限的生命去追求无限的知识，便会感到很疲倦；既然如此还要不停地去追求知识，便会弄得更加疲惫不堪！我们一向提倡要努力学习，但是庄子认为，学习的本质并不是知道得越多越好，知识不能成为人的装饰，而要为人生所用。如果仅仅为了获得知识而不停追问，到头来反而让人的心灵钝化了。

巧者劳而知者忧，无能者无所求。

解读：有能力的人会操劳，睿智的人会忧虑，只有什么都不会的人也就因无所求而感到满足了。在庄子和老子的观点中，都有无为的思想。他们说一个人只有对什么都无欲，才能体会到人生的快乐。老庄的人生观念，并不能理解为简单的悲观主义，而是一种超脱、豁达的追求。

举世誉之而不加劝，举世非之而不加沮。

解读：全世界的人都赞美他，他也不会因之而振奋；全世界的人都诋毁他，他也不会因此而沮丧。有修为的人，能

够超然物外，宠辱不惊，内心安宁而从容。

以道观之，物无贵贱。

解读：从自然的观点来看，任何事物都没有贵贱之分。因为每一样东西都是大自然的一部分，每一个人都是一个生命，这些在本质上是一样的。如果能这样看世界，就不会被外表的好坏迷惑。

得之于手，而应于心。

解读：手上操作很顺利，与心中所想很配合。比喻很熟练地做一件事情，即"得心应手"。

好面誉（音 zǐ）人者，亦好背而毁之。

解读：喜欢当面夸奖别人的人，也喜欢在背地里诋毁别人。所以那些不善于说好话的人，往往是内心比较诚实正派的人。

去小智而大智明。

解读：去掉小聪明，往往就能得到更大的智慧。做事情偷工减料、寻找捷径并不是什么聪明的举动，还是老老实实、一步一个脚印，才能领会到生活的真理。

哀莫大于心死，而人亦死次之。

解读：最大的悲哀莫过于心灰意冷，人生命的结束也不如它可悲。生命结束了，但是信念还会存在，人活着没有信念，就如同行尸走肉。

水之积也不厚，其负大舟也无力。

解读：如果水积得不够深的话，它就不能承担大船的重量。只有基础牢固，才能胜任重大的事情，而想要有所作为，就要打好基础。

【庄子故事】

庄子钓鱼

有一天，庄子拿着渔竿在濮河边钓鱼，这时两个驾着华丽马车的人走过来，对庄子说："请问您是庄周先生吧，我们是楚国的大夫，君王派我们来，请您前去做官。希望您能随我们前往，到了那里，富贵荣华就不用提了。"

庄子拿着渔竿，连头也不回地说道："我听说楚国有一只神龟，死了已有三千年了，君王用锦缎把它包好，放在竹匣中，珍藏在宗庙的堂上，早晚还向它朝拜。请问，这只神龟，它是宁愿死去留下骨头让人们珍藏呢，还是情愿活着在烂泥里摇尾巴呢？"

那两个人说："情愿活着在烂泥里摇尾巴。"

庄子说："请回吧！我要在烂泥里摇尾巴。"

于是两个官员只好灰溜溜地离开了。

墨子：中国的脊梁

【墨家其派】

我们通常认为，科学是和西方紧密相关的事情。两千多年前，古希腊的科学家阿基米德进行了各种物理实验，西方

人认为，自然科学研究的开端莫过于此了。但是，比阿基米德早两百多年，中国也有人在做同样的事情，而且做得更加深入。他研究了几何光学、杠杆原理、声音传播，还善于制造各种机械，这个人就是墨子。

墨子是我国最早的科学家之一，也是哲学家，虽然他懂得各种各样的技术，但他认为技术是为保卫和平、抗击侵略服务的。所以人们对他"兼爱""非攻"的思想更有印象，也更加敬佩。他反对战争，为了宋国不被楚国侵略，他奔走数千里，劝服楚王收回出兵的命令。他爱世人，不计远近亲疏，不分老少贵贱，他眼中没有国籍和等级的分别，只有人类共同的命运。所以后世把他和孔子并称为"孔墨"，当时也有"非儒即墨"之说。他的学说也融进了民族的血液，成为我们爱好和平、团结互助等高尚品德的古老渊源。

和孔子一样，墨子的弟子和再传弟子也将墨子的言论总结成了一本书：《墨子》。《墨子》分两大部分：一部分主要反映了前期墨家的思想，包括墨子的言行；另一部分称作墨辩或墨经，是后期墨家的思想，着重阐述墨家的认识论和逻辑思想，还包含许多自然科学的内容。

墨子的伟大思想也为他带来了很多美誉。如胡适认为，墨子"也许是中国出现的最伟大的人物"，鲁迅称他为"中国的脊梁"，梁启超曾感叹："欲救中国，厥惟墨学！"

【《墨子》名句】

兼爱。

解读：不分等级，不分身份地位，不分国家地域，对所有人都有爱。在墨子的思想中最宝贵的就是"兼爱"的思想。

在战国时期，到处都是战争和杀戮，但是墨子却提出了超越国界、超越当时争权夺利的思想的大爱。我们从古代起，就是一个主张相亲相爱、不分彼此的民族。

非攻。

解读：反对用武力攻打来解决问题。墨子是一个反战主义者，他爱好和平，也珍惜所有人的生命。我国也一直是一个反战国家，从古至今，文人墨客和普通百姓莫不痛斥战争的危害。或是"少小离家老大回"，或是"一将功成万骨枯"，或是"旧鬼烦怨新鬼哭"，无一不是在呼唤安宁的生活。

节用。

解读：节约资源，反对浪费。墨子是一个具有超前思想的人，本来古人强调厚葬，用隆重的葬礼和随葬品表示自己对故人的尊敬和爱，甚至拿活人来殉葬。但是这样会给普通家庭造成负担，如果连活人的生活都成问题，又哪里有财宝跟随死人下葬。于是，墨子提出要薄葬，节用。只有这样，才能使国家积累财富，变得强大起来。

谋而不得，则以往知来，以见知隐。

解读：在考虑问题但无法得出结论的时候，就从过去推知未来，从已经显现的推知尚不知的。谋略的关键，就在于推断，而推断的关键，就在于把握信息。同样的信息到了不同的人的手中，其含义就不一样，这就是谋略深浅的区别。

志不强者智不达。

解读：意志不坚定的人，他的智慧也就无法充分发挥。坚持下来，志向毫不动摇，我们的才华也就能在坚持的过程中慢慢地展现出来了。坚持，就是给潜能一个施展身手的机会。

政者，口言之，身必行之。

解读：从政的人，说什么，就要去做什么。言行一致，才能取信于民，取信于民，才能推行正道。但是很多政客，都是语言的巨人，行动的矮子，所以不受人尊敬。

贫者见廉，富者见义。

解读：一个人在贫穷的时候，最能看出他是否清廉；一个人在富贵的时候，最能看出他是否仁义。因为贫穷而贪污或者盗窃，因为富贵而挥霍或者清高，这都不是君子所为。

士虽有学，而行为本焉。

解读：读书人就算有学问，也当以行动为本，不要空谈夸耀。把书本上的道理变成行动，才是值得欣慰的事情。

万事莫贵于义。

解读：没有什么比道义更加可贵的了，人之所以有君子小人之分，不在于财富，也不在于容貌，而在于是否讲道义。道义是社会的保护伞，没有了它，人就将失去道德的庇护，陷入是非纷争。

【墨子故事】

偷窃病

有一天，墨子给楚国的君王讲了一个故事："有一个人，他自己牛羊满圈，厨师想怎么用这些牛羊做饭菜都用不完，他自己也完全不缺吃少穿。但他看见人家家里做饼，还要顺手牵羊，说可以充足他的米粮。您说这到底是他粮食不足呢，还是他有偷窃病？"

君王听了回答说："这是他有偷窃病。"

墨子便说："今天楚国四境之内的田地空旷荒芜，想种都种不完，光是管理川泽山林的人就有数千以上，数都数不过来，这已经算是富国了吧。但是现在见到宋、郑的空城，还想顺手窃取过来，这种行为与那个偷窃人家的饼的人有什么不同？"

楚王听了以后说："确实如此。"

荀子：一个终身学习的人

【荀子其人】

历史上的官员大都是读书人出身，我国有着古老的教育史，战国时期的荀子，是我国有史可考的第一位"大学校长"。

《史记》中记载荀子在五十岁的时候游学于齐，在那里办了中国最早的学术机构"稷下学宫"，担任主要领导，相当于现在的大学校长。后来到了楚国，春申君封他为兰陵令，春申君退位后，荀子也退休了。韩非、李斯都是荀子的入室弟子。

荀子重视学习，倡导终身学习。学习不是天才的专利，专心致志的人，即使头脑不是很聪明，也能达到很高的境界；相反，即使是天才，假如三天打鱼，两天晒网，也不能取得真正的成就。

孔子提出了"仁"，孟子提出了"义"，荀子就在两人的基础上提出了"礼"。今天的《荀子》一书，大部分内容都是荀子自己的著作，也有一些是门人增加的。从这本书中，我们可以看到荀子的思想。

【《荀子》名句】

学不可以已。青，取之于蓝，而青于蓝；冰，水为之，而寒于水。

解读：学习是永远不能停止的，青色颜料，是从蓝草里提取的，可是青色颜料比蓝草要鲜艳多了；冰，是水冰冻而成的，但是冰比水可要冷多了。荀子善于从生活发现学问，他看到什么，就能联想到其中的道理，并鞭策自己要积极学习新知识，他是最早提出"终身学习"的人。

锲而舍之，朽木不折；锲而不舍，金石可镂。

解读：刻几下，歇一歇，这样下去，就是一块糟木头也刻不断；但要是不停地刻下去，就是金石也可以被刻空。一个人如果有了恒心和毅力，看起来很困难的事也能办成；反之，就算是很容易的事情也办不成。螃蟹有尖利的钳子，但没有恒心，浅尝辄止；蚯蚓柔软无骨，却能用身躯挖出一个大洞。这之间的差距，不是能力上的，而是意志上的。

欲观千岁，则数今日。

解读：要知道千年以前的事情，先要了解眼前的事情。有一个很好的生活常识的积累，古人生活中的很多疑惑也会解决，没有生活常识仅凭空想，做出来的学问是不可信的。

主道知人，臣道知事。

解答：一国之君的本职是选用贤人，臣子的本职是处理职责以内的事务。君臣各有分工，每个人只要把自己分内的事情办好就足够了，越俎代庖，则得不偿失。

涂之人可以为禹。

解读：普通人也可以成为大禹那样的圣人，这和"人人皆可以为尧舜"是一样的道理，只要普通人修身明德，也能成为了不起的人物。

故君子博学而日参省乎己，则知明而行无过矣。

解读：君子博学，而且每天反省自查，就能聪明有智慧，行为没有过错。懂得及时反省，就能避免今后犯更大的错误，就像电梯要经常检修，才能安全运转。

道虽迩，不行不至；事虽小，不为不成。

解读：路虽然近，不走的话也不能到达；事虽然小，不做的话也不能完成。行动是解决一切问题的根本，光说不做的人，什么也干不成。

悍戆（音 zhuàng）好斗，似勇而非。

解读：身体强壮但是呆头呆脑的，只知道与别人打斗，这样的人看起来很勇敢，其实不是。真正的勇敢，不是在力气上胜过别人，而是在修为、智慧上能够感染别人。

【荀子故事】

集市之游

相传，荀子活了九十八岁，是一个长寿的学者。他曾到学术风气很好的齐国讲学、游历，三次担任稷下学宫的主讲。

荀子住在稷下学宫的时候，闲暇时经常出来逛街。临淄是一个大都市，很繁华热闹，一条街上有各种作坊，叫作百工之廛（音 chán），也就是今天的市场。荀子信步走到一所染坊前，只见染匠正在那里卸车，车上装的是一包包的草，于是荀子问道："这是什么东西呢？"

染匠看到荀子的一袭青衫，说道："老先生，这就是我们用的蓼蓝，你身上穿的衣服就是用它染成的。"

荀子抓了一把放在手里，摸了摸，又看了看手指，说："我的手上也没染上色啊。"

染匠笑着说："天下哪里有能直接做染料的草呢？我们得先把它熬成汁，凝结后就叫靛（音 diàn）青，那才能染布，靛青比蓝草要鲜艳得多啦！"

荀子点点头，又踱到旁边的木匠作坊，看木匠正在用墨斗画线。只见匠人把染上墨水的线从墨斗里"咕噜咕噜"地抽出来，绷在木板表面，轻轻一弹，一道笔直的墨线就出现在木板上，旁边的匠人接下来按线把木板劈开。荀子指着地上的一段弯木头问匠人说："这是做什么用的呢？"

木匠说："这就是组成轮子的'牙'，你看，每一块'牙'都有确定的弧度，几块这样的'牙'合在一起，正好拼成一个完整的车轮。"

荀子问道："这木材，天生就是这样弯曲的吗？"

木匠笑着说："老先生，这怎么可能呢？这些木材原本都是直的啊，运来之后，要先按尺寸锯成段，然后用火烤，边烤边把它弄弯，然后按图样固定住，几天之后，它就不会再弹起来啦。老先生，天下哪里有生来就适合做车轮的木材呢？都得需要我们木匠把它弯成合适的形状啊！"

"集市一日游"给荀子的感触很深，从此他更加注意从生活中学习，向别人请教了。

法家：国家秩序的维护者

【法家其派】

孔子、墨子他们几乎都是在说人要懂得自我约束，但人的自觉性是不稳定的，如何来保证社会的秩序、保证大部分人的生活呢？于是人们就想到了法律。

历史学者都认为，虽然中国历来强调儒家学说，讲究礼义忠信，但是直接起到让国家长治久安作用的，还是严明的法律及其强有力的执行措施，这就是先秦法家学派所主张的"法治"。韩非子是法家学派主要代表人物，也是"帝王之学"的创始者。

韩非子出生在战国七雄之中最弱小的韩国，是贵族子弟。他曾与李斯是同窗，跟着荀子学习。但是韩非子的思想不同

于荀子，他没有承袭儒家的思想，却"喜刑名、法术之学"，理论与黄老之法相似，主张清简无为，君臣各司其职。

目睹了韩国的日趋衰弱的情形，韩非子曾多次向韩王进谏，希望韩王变法图强，但始终都未被采纳。失望的他写了《孤愤》《五蠹（音 dù）》《内外储》《说林》《说难》等十余万言的文章，详细说明了他的法治思想。

虽然他有口吃，不善言谈，但是他写起文章来气势逼人。郭沫若曾将他与战国其他名人的文气对比，说："孟文犀利，庄文恣肆，荀文浑厚，韩文峻峭，各有千秋。"今天所存的《韩非子》一书，其中绝大部分都是他本人的文章。

【《韩非子》名句】

自胜谓之强，自见之谓明。

解读：能够战胜自己的人才是强者，能够认清自己的人才是明智的。

韩非子这个人说话结巴，所以他很少和别人争辩，他自知在说话方面自己不占优势，不如著书立说，下笔成文。这可以说他是"明"的；他多次劝诫韩国国君，但是得不到重用，后来他放弃了自己的家乡韩国，前往秦国。能够超越这种狭隘的国家观念，为大统一做准备，先要超越自己的私人情感。这可以说他是"强"的。清朝的名臣曾国藩在日记中写道：做人最终的就是"明、强"，韩非子的观念一直流传了几千年，今天也依然是有价值的人生参考。

道私则乱，道法则治。

解读：以个人为道就会混乱，以法律为道就会秩序井然，

太平无事。"没有规矩不成方圆",法律就是让每一个部件有序运转的润滑油。国家的法律越是明细、权威,社会的情况也就越容易得到控制。

善张网者引其纲。

解读:善于撒网捕鱼的人,总是抓着网的主要的绳撒开。做事情也要抓住主要问题,不要把精力放在细枝末节上。

千丈之堤,以蝼蚁之穴溃。

解读:长达几千丈的大堤,会因为小小的蚂蚁洞而崩溃。比喻我们要防微杜渐,不要因为小事情而造成大的失误。

不可陷之盾与无不陷之矛,不可同世而立。

解读:不能被戳破的盾牌与无所不穿的长矛是不能同时存在的,不然就自相矛盾了。说话办事如果不符合实际情况,就很容易陷入自相矛盾的境地。

去好去恶,明臣见素。

解读:君王不表现出自己的喜好,也不表现出自己的所厌恶之处,臣子们就能表现出自己的真实面目了。上有所好,下必校之。所以领导者应该慎重自己的言行,而臣子也应该直言不讳,才符合君臣之义。

长袖善舞,多钱善贾。

解读:袖子长,跳起舞来就很好看,资金多,生意做起来就顺利。有一个好的条件,做起事情来就得心应手了。

诚有功，虽疏贱必赏；诚有过，虽近爱必诛。

解读：确实有功劳的话，就算是平时疏远、身份低贱的人也要奖赏；确实有过错的话，就算是和自己关系好、自己又非常喜欢的人也要惩罚。"法不阿贵"，只有赏罚分明，才能保证法律的权威。

家有常业，虽饥不饿；国有常法，虽危不亡。

解读：家族有固定的产业，赶上饥荒的时候也不会挨饿；国家有严格的法律，就算面临危险也不会亡国。法律是保护国家的工具，如果法律没有了价值，社会就会失去公正，国家也就危险了。

工人数变业则失其功。

解读：做工的人老是改变自己的行业就做不出成绩来，任何成就都是积累而成的，如果总是朝三暮四，缺乏耐心积累，就很难有所成就。

和氏之璧，不饰以五采。

解读：和氏璧不用五彩来装扮，自有一种神韵。保持自身的淳朴之质，才是美的根本。

【韩非子故事】

身虽裂，名犹存

韩非子在故乡韩国得不到重用，后来就到了商鞅改革的国家秦国。秦王读了韩非子的《孤愤》《五蠹》之后，非常赞赏他的观点，感叹道："嗟乎！要是我能够见到这个作者，与他一起打天下，就是死也心甘情愿啊！"秦王嬴政对韩非子可谓推崇备至，仰慕已极。

后来秦王问大臣李斯："这文章是谁写的？"李斯告诉他是韩非的著作。为了见到韩非，秦王下令马上攻打韩国。本来韩王是不重用韩非的，但大战迫在眉睫，形势紧迫，于是便派韩非出使秦国。秦王见到韩非非常高兴，但是没有马上重用他。

韩非曾劝秦始皇，先伐赵再伐韩，但却因此遭到秦国的大臣李斯和姚贾的谗害，他们害怕秦王偏信韩非后，自己的地位不保，就诋毁韩非想徇私情来救韩国。秦王也认为这种说法有道理，就下令将韩非打入大牢听候审讯。

妒忌心重的李斯派人给韩非送去了毒药，逼着他自杀。韩非本来想在秦王面前说清自己的想法，但没有机会，于是服毒自杀了。

这时的秦王，在韩非入狱之后就后悔了，但是等他下令赦免韩非的时候，韩非已经命丧黄泉了。不过值得韩非欣慰的是，秦王最终采纳了他的意见。

兵家：以德治兵者得天下

【兵家其派】

在中华历史上，文有孔子，武有孙子。孙武与孔子出生在同一个时代，但是面对诸侯纷争，一个选择从内提高自身的修养，用思想教化民众；一个选择从外增强自身的实力，用谋略战胜敌手。因此后人说为人学孔子，处事学孙子。

孙子是兵家的代表，但是他并不是一个好战的人，相反，他认为最好的兵法就是尽一切力量避免战争流血，不战而全胜。可以说，孙子是一个有大爱的人，他比普通人更懂得要珍惜生活和生命。

孙子的智慧主要表现在谋略上。"运筹帷幄之中，决胜千里之外"，谋略让我们掌握未来的不可知；"不战而屈人之兵，善之善也"，谋略让我们将损失减到最小；"故善战者，致人而不治于人"，谋略让我们随时把握主动……

如今很多商业人士开始重视孙子应对战争的智慧，因此创造了商业上的奇迹。将《孙子兵法》用在克服人生的各种困难上，会使我们更加游刃有余。拿破仑在滑铁卢失败后，无意看到传教士翻译的《孙子兵法》，痛心地说："如果二十年前就能读到这本书，历史将被改写！"

【《孙子兵法》名句】

不战而屈人之兵，善之善者也。

解读：不发动战争就能让对方屈服，这才是上等的智慧。孙武认为战争只有一个目的，那就是让对方屈服，如果能够不让士兵流血、生灵涂炭，那为什么还要流血牺牲呢？战争只是最直接的解决方式，但并不是唯一的方式。

是故胜兵先胜而后求战，败兵先战而后求胜。

解读：所以说能打胜仗的军队是先赢得了胜利的机会和因素，再投入作战；而失败的军队，总是先投入到作战中，再寻找胜机。黎巴嫩诗人纪伯伦曾经说："我宁可做人类中有梦想和有完成梦想的计划的、最渺小的人，也不愿做一个

最伟大的、无梦想、无计划的人。"计划对于人生来说，如同阳光和空气一样，必不可少。

兵贵胜，不贵久。

解读：打仗贵在速战速决，而不在于持续了多久。因为越久就越容易有伤亡，只要能战胜，就要尽最大的可能减少伤亡。明确目的，才能少走弯路。

善战者，立于不败之地，而不失敌之败也。

解读：善于用兵的人，能先让自己立于不败之地，又能不失掉打倒对方的机会。如果只是防守而没有进攻，就很难速战速决，所以把握最佳进攻时机是关键。

攻其不备，出其不意。

解读：在别人没有防备的时候进攻，在对方没有预料的情况下出击。这种思想也常常被用于竞争，只有出其不意，才能旗开得胜。

善战者之胜也，无智名，无勇功。

解读：善于用兵取胜的人，并不是靠的机智，也不是靠的勇敢，而是不给敌人制造机会，如此而已。孙子认为，只要不失误，就能把握住胜利的机会。制造失误，就是在给对手胜利的机会。

上兵伐谋，其次伐交，其次伐兵，其下攻城。

解读：用兵的上策是从谋略上战胜敌人，其次是在外交上争取敌人，再次是在进攻的方式上胜过敌人，最下策才是攻打城池。这也体现了孙子"不战而屈人之兵"的思想。

【兵家故事】

君命有所不受

在《孙子兵法》中，孙武说"君命有所不受"，这句话就是说，有时候哪怕是君王的话，也不能听。孙武自己就曾抗旨不遵过。

吴国公子光是历史上的阖闾。阖闾当政之后，礼贤下士，任用了一批贤臣，其中就有伍子胥。阖闾体恤民情，注重农业生产，积蓄粮食，修路筑城，训练军队，一时间吴国民心振奋，呈现出一派欣欣向荣的景象。阖闾立志要强盛吴国，灭楚称雄。这一切都被孙武看在眼里，因此他在隐居之地，一边灌园耕种，一边写作兵法。

有一次，吴王向伍子胥打听战事方面的人才，伍子胥借机向吴王推荐了孙武。由于孙武在吴国毫无名气，因此很难被吴王信任。于是吴王就给孙武出了一道难题，想考考他的本事。

吴王让孙武操练后宫嫔妃，只要她们听从调遣，孙武就可以"录用"了。孙武把嫔妃分成两队，并让吴王最宠爱的两位妃子分别担任队长。孙武命众妃子听命，排成两队从两边向中间靠拢，但是妃子们只顾打闹和嬉笑，全无章法。于是，孙武就把两队的队长按照军法处决了，从此妃子们就乖乖地听从调令，孙武也被正式"录用"了。

第三章

历史，一部大写的人字书

司马迁：究天人，通古今

【《史记》其书】

中国有五千年的历史，但是在这五千多年中，有很长一段时间虽然有历史记载，但是要么时间上不明确，要么事情上不完整，要么作者不详。从司马迁著《史记》开始，中国的历史书就进入了一个规范的时代，人们写历史也就有了一个标准。

《史记》是正史"二十四史"之首，记载了从黄帝开始一直到汉武帝时期的三千多年的历史，鲁迅称这本书是"史家之绝唱，无韵之《离骚》"。

从体例上来说，《史记》是第一部纪传体通史，包括十二本纪、三十世家、七十列传、十表、八书，共一百三十篇，五十二万六千五百余字。《史记》不仅内容条理明晰，而且文笔也酣畅淋漓，在众多史书中别具文才。《史记》与后来的《汉书》《后汉书》《三国志》合称"前四史"。

"史记"本来是古代史书的通称，《史记》原名是《太史公书》，或"太史公记"，"太史公"指的就是写历史书的人。从三国时期开始，"史记"由史书的通称逐渐成为司马迁的"太史公书"的专称。

【《史记》名句】

王侯将相宁有种乎？

解读：贵族王公大臣们是生来就该享富贵的吗？历史上

有很多英雄，也并不是王侯将相之子。"英雄不问出处"，重要的是，他们是否和陈胜一样，敢于成为一个平民英雄。

前事之不忘，后事之师也。

解读：吸取过去的经验教训，可以作为以后的借鉴。从历史中去总结前人的经验，防止我们再走上战争、贫穷、动乱的老路，历史才变得有价值。

仓廪实而知礼节，衣食足而知荣辱。

解读：仓库充实，人民就懂得礼节；衣食丰裕，人民就知道光荣和耻辱。如果不是这样，国家连基本问题都没有解决就去考虑其他，就是丧失礼仪，人民也会为了追求利益而没有羞耻之心了。

泰山不让土壤，故能成其大；河海不择细流，故能就其深；王者不却众庶，故能明其德。

解读：泰山不拒绝土石，所以能高大；河流不嫌弃细小的溪流，所以能深远；为国之君，不摒弃百姓，就能申明他的美德。的确，只有敢于接纳他人，才能让自己的力量更加强大。不论是成为一个国家还是做人，都应当有这样的胸怀。

好学深思，心知其意。

解读：好学、深入地思考，才能渐渐领会其中的含义。读书的时候，不仅要用眼，更要用心。

苦言，药也，甘言，疾也。

解读：不顺耳的话如同良药，甜言蜜语如同病菌。良药苦口利于病，忠言逆耳利于行。要有一双能听苦言的耳朵，才能进步。

渊深而鱼聚之，山深而兽往之。

解读：深水之中有大鱼，深山之中有猛兽。只有在开阔深邃的地方，才能有杰出的人物出现。所以一个国家想要吸引人才，也要有宽广的胸襟，宽大为怀。

千人之诺诺，不如一士之谔谔。

解读：一千个人对你唯唯诺诺，不如有一个人敢于和你直面争论。与其结交那些阿谀奉承的朋友，不如结交那些敢于直言的朋友。

桃李不言，下自成蹊。

解读：桃树和李树不会讲话，它们的花香自然就能吸引成群的人来观赏。有时候千言万语还不如一个小小的行动能感染、吸引他人。

当断不断，反受其乱。

解读：如果做事情不当机立断的话，就会受到连累。所以在关键的时候，要有决绝的勇气和魄力。

【《史记》故事】

勇于直言的司马迁

公元前 99 年夏天，汉武帝派宠妃李夫人的哥哥李广利领兵讨伐匈奴，另派李陵随从李广利押运辎重。李陵带领步

卒五千人出居延，孤军深入浚稽山，不幸与匈奴单于相遇。匈奴以八万骑兵围攻李陵。经过八昼夜的奋战，李陵斩杀了一万多匈奴兵，但终因孤军奋战、弹尽粮绝而不幸被俘。

消息传到长安以后，汉武帝本希望李陵能战死沙场，却听说他投降了，因此愤怒万分。满朝文武官员"见机行事"，几天前还纷纷称赞李陵的英勇，现在却迎合汉武帝，指责李陵的罪过。当汉武帝询问司马迁的看法时，司马迁一方面安慰武帝，另一方面也痛恨那些见风使舵、不辨是非的大臣，尽力为李陵辩护。

他认为李陵平时对母亲孝顺，对朋友讲信义，对人谦虚礼让，对士兵有恩信，常常奋不顾身地急国家之所急，有国士的风范。司马迁对汉武帝说："李陵只率领五千步兵，深入匈奴，孤军奋战，杀伤了一万多匈奴兵，立下了汗马功劳。在救兵不至、弹尽粮绝的情况下，仍然奋勇杀敌，就是古代名将也不过如此。李陵自己虽陷于失败之中，但是他杀伤敌军之多，也足以显赫于天下了。他之所以向匈奴投降，一定是想寻找适当的机会再回来报答汉室。"

司马迁真实地表达了自己的想法，认为是将军李广利没有尽到责任，但他的直言触怒了汉武帝。汉武帝认为他是在为李陵辩护，讽刺劳师远征、战败而归的李广利，于是将司马迁打入了大牢。

虽然历经磨难，但是司马迁一直坚定自己"究天人之际，通古今之变，成一家之言"的信念，终于写成了中国历史上第一部纪传体通史《史记》。生活的不幸使作者满怀悲愤，他将这种浓郁的感情融入《史记》的创作中，因而其笔下的人物刻画和论赞中都饱含着太史公诗人般的激情。如《屈原

列传》是屈原伟大人格的赞歌，《项羽本纪》是一首充满悲壮、叹惋之情的英雄史诗。

《新五代史》：文坛领袖编史书

【《新五代史》其书】

写史书是一项繁重的工作，历史上独自编史的人很少，尤其是在政府已经有了专门的编书机构之后。但是宋朝欧阳修却自己编了一本历史书，于是历史上就有了两本《五代史》。

宋朝建国后不久，薛居正主编了一本《五代史》。六十多年之后，大文学家欧阳修就在新资料的基础上，重新编写了一本《五代史》，也就是《新五代史》。

欧阳修感叹："呜呼，五代之乱极矣！"他所要做的，就是将那些"寡有廉耻"的现象写出来，让后人明白是非曲直。在欧阳修去世一个月后，朝廷下诏命他的家人呈上史书，然后藏进国家图书馆。到了金朝章宗时，欧阳修的《新五代史》才逐渐代替了旧史。

【《新五代史》名句】

忧劳可以兴国，逸豫可以亡身。

解读：具有忧患的意识、辛勤地操劳可以让国家兴旺；安逸的生活环境和犹豫不前的做法只会让自己深处险境之中。这句话出自《伶官传序》，是欧阳修在总结前朝皇帝既得天下后又失天下的原因时所说的。艰苦奋斗、发愤图强可以使人成功；居功自傲、贪图享乐则会使人失败。

未有去仁而兴、积仁而亡者。

解读：历史上从来没有因为无道而兴旺、积德而亡国的。这是欧阳修对历史的一个总结，也是他著书立说的立场，他就是为了告诫后人，要以德治国，国家才能长久。

惟庐陵欧阳公，慨然以自任，盖潜心累年而后成书。

解读：只有庐陵的欧阳修先生，敢于担当书写历史的重任，静下心来钻研了好多年才写出一本《五代史》。欧阳修的新史之所以能够流传下来，就是因为他下了很多功夫，用心去写了好多年。

世乱识忠臣，诚哉！

解读：只有在乱世才能辨别出谁是忠臣，真的是这样啊！从古至今，越是在危难紧急的时刻，越能够体现出一个人的气节，因此，欧阳修专门写了《死节传》，表扬乱世忠臣。

自古材贤有韫于中而不见于外，或穷居陋巷，委身草莽。

解读：历史上有才德的人，常常是中庸而不高调的，他们要么隐居在陋巷之中，要么藏身于草莽之间。所以有很多真正了不起的人物，我们现在并不知道。历史总会遗漏很多故事，但是崇尚正义、仁慈的精神是一脉相承的。

夫一，万事之本也，能守一者可以治天下。

解读："一"是所有事物的本源，能够领会"一"的奥妙，才能去治理天下。"一"就是道家所说的天地自然的规律，只有符合自然，合乎生命的本性，才能去解决问题而不是制造问题。当我们感到困惑的时候，想一想自己是否能"守一"。

【五代史故事】

史学家评《五代史》

历史学家钱穆评价欧阳修的《新五代史》，说这本书"文比《史记》，义近《春秋》"。

文比《史记》，是因为欧阳修本身就是一个大文学家，他的第一个家喻户晓的身份便是与唐代韩愈、柳宗元，宋代王安石、苏洵、苏轼、苏辙、曾巩合称"唐宋八大家"。他不仅在文学上深有造诣，是北宋诗文革新运动的领导者；而且在政治上还是范仲淹"庆历新政"的支持者。而苏轼父子及曾巩、王安石皆出其门下。欧阳修在诗、词、散文上均为一时之冠，因而读他的文章本身就是一种享受。

说他的义理可比《春秋》，是因为他对历史的觉悟，著书以惩恶扬善、激浊扬清为宗旨。也就是既有精彩的史情，也有诚恳的史意。"呜呼，五代之乱极矣！"他常用这样的感叹语气开头，这正流露出他的一片忧国忧民之心。

《洛阳伽蓝记》：古城及中国历史最高的塔

【《洛阳伽蓝记》其书】

很多书一望其名便知其意，但是《洛阳伽蓝记》这本书，很多人都不知道它是什么意思，如果改成《洛阳佛寺记》，我们一下就明白了，它是专门写洛阳寺庙的作品，作者是北魏时期的杨衒之。书名中"伽蓝"一词，即梵语"僧伽蓝摩"

之略称，意为"众园"或"僧院"，是佛寺的统称。

全书分城内、城东、城南、城西、城北五卷，记述了七十多处寺庙。该书不仅具体描写了殿堂屋宇的形制规模和建立寺庙的始末兴废，还有相关的政治历史事件、社会经济情况，以及当时社会的风俗人情的记述。全书叙事主要用散文，形容描写则往往夹用骈偶，条理清晰，洁净秀丽，读之如同亲眼看见了那些美丽的建筑一样。

【《洛阳伽蓝记》名句】

麦秀之感，非独殷墟；黍离之悲，信哉周室！

解读：对麦秀的感叹，不只是目睹殷都废墟的人才有；对黍离的悲情，实在是痛心于周代朝政的灭亡。从来都是破国无完家，杨衒之写《洛阳伽蓝记》，也是想要提醒后世，不要再奢华糜烂，导致"黍离之悲"了。

于是招提栉比，宝塔骈罗，争写天上之姿，竞摹山中之影；金刹与灵台比高，讲殿共阿房等壮。岂直木衣绨绣，土被朱紫而已哉！

解读：洛阳城中到处是招提寺和佛塔，就像天上的仙境、群山的缩影；金碧辉煌的古刹可以和古代的灵台一样高大，讲佛经的大殿犹如阿房宫一样雄伟。这哪里仅是在给树木穿上绫罗绸缎，给大地铺上朱砂紫玉而已！这一段是杨衒之描写洛阳繁华的小细节，从中我们可以想见当时的佛教盛况。杨衒之的文章既有散文的清新，又有骈文的工整，是古籍中的精品。

【《洛阳伽蓝记》故事】

秦太上公寺

洛阳城的东边有秦太上公东西两座寺院，西寺是灵太后捐建的，东寺是灵太后的妹妹捐建的。她们两个都是为了替父亲积阴德，所以用他的封号"秦太上公"作寺名，当时的人叫它"双女寺"。两寺靠近洛水，大树参天，各有一座五层佛塔，高达五十丈，雕饰得精美绝伦。在斋戒的时候，常有供品从皇宫中送来，其豪华的程度是其他各寺不能比的。

寺东有汉光武帝所建筑的灵台，底部虽已塌坏，但还有五丈多高。灵台往东有读书人的辟雍，是魏武帝所建。到了北魏的正光年间，在辟雍的西南侧又建了明堂，上圆下方，四门八窗。

由于北朝时期到处都是乱兵，州郡纷纷失陷，因此北魏朝廷在明堂的北面设立了募征格，对从军的人授予旷野将军、偏将军、裨将军等官职。当时从军的士兵号称明堂队。其中有一位叫骆子渊的勇猛的士兵，曾经守卫在彭城，他的战友在休假返回京城的时候，子渊写信托他带到家中，并且交代："我家在灵台南面，靠近洛水。你只要到了那里，我家人就会出来相见。"

战友根据他的说法来到灵台的南面，但完全看不到什么人家。正在他准备离开的时候，忽然看到一个白发老翁走来，于是战友上前询问。老翁说："这是我的儿子！"于是带着送信的战友回到了家里。

送信的人只见宏伟宽敞的馆室楼阁，房屋华丽美观。落座后，送信者看到婢女抱了一个死婴走过，他感到非常奇怪。一会儿酒菜具备，都是色泽光艳的佳肴，香美无比。饭后，

送信人告辞，老翁送到门外："恐怕难以再会了。"走了不远，送信人回头，再也不见先前的楼馆，只有高高的河岸对着河水，绿色的波浪滚滚东流。他唯独看到一个十五岁上下的小男孩，刚刚被淹死，鼻子中还流着血。等他回到彭城，子渊已经不见了。原来，与他一同服役三年的子渊，就是洛水之神。

建中寺

建中寺原来是宦官刘腾的住宅，气派和规模都超过了应有的规格。方圆一里之内，廊屋一间接着一间。其宽敞富丽的程度，就算是皇族中也没人能赶得上。

刘腾住宅的东侧有太仆寺，是从前魏相国司马文王司马昭的官邸，里面还有领军将军元义的宅邸。

元义是江阳王继的儿子，又是太后的妹婿。熙平初年，明帝年幼，太后把元义当作心腹之臣来信任，结果得到的反而是禁闭永巷长达六年的结果。太后痛心地说："真正养虎咬自己，把小蛇育成大蛇！"

太后返归政位后，诛杀元义等人，没收刘腾的田宅，把这所宅子赏赐给了高阳王雍。

后来，尚书令、乐平王尔朱世隆为了替家人求福，就把这所宅邸改为寺院。朱漆的楼门与黄色的阁楼，称得上是迁宫。前厅做了佛殿，后堂做了讲堂。厅堂内到处装饰着金色的莲花宝盖。另有一座凉风堂，原先是刘腾的避暑之处，常年清凉无比，夏天也没有苍蝇，还有已生长了千万年的树木。

《贞观政要》：中国梦的古代范例

【《贞观政要》其书】

中国历史上一共有三百九十七个"帝"和一百六十二个"王"，在这些帝王之中，真正算得上宽容虚心、勤政爱民、以德服人的皇帝不多，但是唐太宗是公认的一个。虽然他的文采不如李煜，书画不如赵佶，谋略不如诸葛亮，用兵不如孙武，但他却是比这些人都成功的领袖。因为他有一颗作为普通人的虚心好学、善于听取意见的心。

《贞观政要》是一本总结唐太宗治国施政经验的书，为了达到经世致用的目的，将君臣问答、奏疏、方略等材料，按照为君之道、任贤纳谏、君臣鉴戒、教诫太子、道德伦理、正身修德、崇尚儒术、固本宽刑、征伐安边、善始慎终等一系列专题内容归类排列，使这部著作既有史实，又有很强的政论色彩；既是唐太宗贞观之治的历史记录，又蕴含着丰富的治国安民的政治观点和成功的施政经验。

【《贞观政要》名句】

以铜为镜，可以正衣冠；以古为镜，可以知兴替；以人为镜，可以明得失。

解读：照铜镜可以整理自己的穿着；借鉴古人可以知道兴亡成败的道理；听取别人的意见可以知道自己的得失。在魏徵死后，唐太宗伤心地说："我没有了宝贵的镜子。"正是因为有众多的"镜子"，唐太宗才能够成为一个从任何角度看都了不起的帝王。

若安天下，必须先正其身。

解读：想要使天下安定，先要保持自身的正直。唐太宗身为一国之君，懂得从自己为人处世出发来治理国家的道理。其实这个道理不仅适用于领导人，对于每一个人来说，想要赢得朋友的尊重和信赖，也要从自己的身上找方法，问问自己是否值得别人尊重和信赖。

草创之难既已往矣，守成之难者，当思与公等慎之。

解读：打江山的困难已经成为过去了，守江山的困难，我今后还要和众位大臣一起慎重对待。很多人打下了江山，还没有稳固基业，就急于享乐。其实，要守好自己的成绩，哪里是一件容易的事？

神化潜通，无为而治，德之上也。

解读：在潜移默化中，以无为来治天下，这才是上上的德。"无为"，就是不建宫殿，不选秀女，不铺张浪费，不举行大的政治活动。在这种自然淳朴的政治中，帮助人民恢复正常的生活，这是历代君王都很少办到的事情。

臣闻求木之长者，必固其根本；欲流之远者，必浚其泉源；思国之安者，必积其德义。

解读：我（魏徵）听说：想要树木长得高，先要让它的根稳固；想要河水不枯竭，先要让它的源头通畅；想要国家安宁，先要行善积德。不要将目光紧锁在结果上，而要学会看到产生某种结果的原因，从根源上去努力。

怨不在大，可畏惟人。

解读：对朝廷的埋怨没有大小之分，只要是老百姓的心声，就要怀着敬畏的心听取。唐太宗说"水能载舟亦能覆舟"，百姓如水，明君不能等到被水淹没的时候再后悔。

凡大事皆起于小事，小事不论，大事又将不可救。

解读：大事情都是由小事情引发的，在小事上不慎重，积累成大事情就不好挽救了。要想避免大的麻烦，就要解决好每一个小问题。"细节之中有魔鬼"，小妖还好对付，大魔就难收拾了。

人欲自照，必须明镜。

解读：一个人要想看清楚自己的容貌，就要找一面明亮的镜子。在哈哈镜中是看不出真实的样子的，在没有原则的人身上，也看不出自己的不足，只有和那些优秀的人比较，才能看到自身的潜力。

【《贞观政要》故事】

虚心使人进步

贞观十六年（642），唐太宗问魏徵："我克己奉公，一心一意治理朝政，仰慕前代圣贤，并努力效仿他们，将积累美德、增加仁义、建立功业、为民谋利这四个方面当作最重要的事情来实施。可是，人常常没有自知之明，我不知道我所说的这几件事，做得好还是不好。"魏徵回答道："德、仁、功、利陛下都能做得到。对内平定祸乱，对外攘除戎狄，是陛下所建的功；安顿百姓，使其各有生计，是陛下所谋的利。

这么说来，功与利所占居多，只有德与仁，还需要陛下自强不息，躬行实践，那么在将来一定是可以做好的。"

唐太宗以先贤为自己的学习榜样，一直在努力将自己培养成一个仁君、明君。德、仁、功、利就是他的目标，让别人评价自己与目标相差还有多远，更加客观和有激励作用。其实唐太宗不仅是在道德上要求自己见贤思齐，在治理国家上，他也常常拿自己和前代的君王做比较。他说存在了八百年的周朝和二世而亡的秦朝之间的最大差异，就在于领导者是否为自己的子民着想。秦朝后期的统治者纵情声色，横征暴敛，所以王朝瞬间倒塌。

《资治通鉴》：帝王的镜子

【《资治通鉴》其书】

一代伟人毛泽东喜欢读书，尤其喜欢《资治通鉴》，前前后后读了十七遍。除了借鉴其中的用人之道，毛主席也很佩服司马光的著书毅力，赞叹他"从四十八岁的黄金时代完成了这项大工程，可以说是毅力与决心使然"。

《资治通鉴》约有三百万字，其中所记历史，上起周威烈王二十三年（前403），下迄后周世宗六年（959），前后共一千三百六十二年。这部书按朝代分为十六纪，内容以政治、军事和民族关系为主，兼及经济、文化和历史人物评价。司马光写这本书的目的就是通过对事关国家盛衰、民族兴亡的统治阶级政策的描述，来告诫皇帝要懂得治国的道理，也让后人思考历史。

【《资治通鉴》名句】

兼听则明，偏信则暗。

解读：多听取别人的意见就会变得明白，偏听偏信就会处于狭隘中，如同看不见一样。唐太宗的手下有很多名人，比如房玄龄、杜如晦、魏徵、王珪、李绩、李靖、马周等等，他们每个人都会有自己看待事物的角度，这样一来，唐太宗就能从各个角度来考虑问题了。众人拾柴火焰高，所以我们也要多听一听别人的意见。

非信无以使民，非民无以守国。

解读：只有讲诚信才能管理好民众，只有民众才能守卫好国家。赢得别人的信任是办事的基础，只有相互信任的人才能很好地配合，这也是为人处世的基础。

币厚言甘，古人所畏也。

解读：送来大礼，说甜言蜜语，这样的人是古人所警惕的。"无事不登三宝殿"，如果突然有人向你频频献殷勤，那么你就要想一想他是不是有意图了，因为真正的感情是不需要华丽的修饰的。

得财失行，吾所不取。

解读：得到了财富但是行为失态，这样的事情我是不会做的。不义之财不可取，君子做事情永远要正大光明，经得起别人的追问。

凡人之情，穷则思变。

解读：人的本性是在到了没有办法的时候，就要设法改

变了。但是与其到了没有办法的时候再被动变化，不如早些就做好应变的准备，未雨绸缪。

没齿而无怨言，圣人以为难。

解读：一辈子一句怨恨的话也不说，恐怕连圣人也觉得很难办到。抱怨是人的天性，但是抱怨永远不能解决问题。如果我们能把抱怨的时间拿去行动，我们也就接近"圣人"了。

汝知稼穑之艰难，则常有斯饭矣。

解读：如果你能了解耕种收获的艰难，也就常能有一碗饭吃了。不知道珍惜劳动的人，难免会有饿肚子的时候，只有亲身体验过辛苦的生活，才懂得珍惜拥有。

【《资治通鉴》故事】
司马光工作室

司马光在编纂《资治通鉴》的过程中，皇帝给他开了不少绿灯。除了允许其借阅国家所有的图书资料，神宗还赏赐给司马光三千四百卷参考书。修书所需笔、墨、绢、帛，以及果饵之费，尽由国家供给，他著书的条件非常优越。

司马光工作室成员还包括刘恕、刘攽、范祖禹和儿子司马康。他们既是当时一流的史学家，又与司马光在政治、史学上观点一致，因此能在编书中各显其才，通力合作。在具体分工上，司马光当然是总编和录排编校总指挥。

《通鉴》的编写，大致分三个步骤：第一，排列丛目；第二，编写长编；第三，删改定稿。一二两步，在主编指导下由助手完成，第三步则完全由主编司马光一人完成。

　　编完一部《资治通鉴》，剩下没用的材料堆积有两屋之多，皆蝇头小字，字字端谨，无一字潦草。书成之后，六十六岁的司马光身患了各种编辑职业病："骸骨癯瘁，目视昏近，齿牙无几，神识衰耗，目前所为，旋踵遗忘。"

　　据说司马光睡觉用的枕头，不是那种普通的可以使睡觉舒适的枕头，而是一段圆木头。头枕在上面，难以睡安稳，只要稍稍一动，他就被惊醒，遂立即起来，挑灯夜读，刻苦用功，因此有"警枕"一说。

三通：行为的制度规范

【"三通"之书】

　　在我国的历史上，有很多综合性的书，但是专门讲某一个领域的书不多。在政治上，有一套"三通"，是历来学习古代政治制度必不可少的参考书。那么到底是哪"三通"呢？

　　"三通"指的是唐朝杜佑的《通典》、宋朝郑樵的《通志》和元朝马端临的《文献通考》。

　　《通典》记载了自上古至唐代宗时期历代典制的沿革，分食货、选举、职官、礼、乐、兵刑、州郡、边防八门。这本书的内容丰富，对唐代的制度的叙述尤为详尽。

　　《通志》是南宋郑樵独自编撰的，是从上古到隋唐的纪传体通史，包括帝纪、后妃传、年谱、略、列传五部分。他在氏族、六书、七音、都邑、昆虫草本五略上有很大的创造，使他的书籍独树一帜。

　　《文献通考》为元代马端临撰，记载了从上古至宋宁宗

时期历代典制沿革，内容非常详细全面，有田赋、钱币、户口、选举、学校、宗庙、乐、兵、刑等二十四门。除了承接《通典》，还采取当时人的论议和其他文献等，内容比《通典》丰富，所记宋朝制度更加详备。

【"三通"名句】

富国安人之术为己任。

解读：要以富强国家、安顿民生作为自己的责任。这是杜佑写《通典》的原因，他不希望再发生安史之乱之类的事情，于是著书立说，以警后世。历史上有很多这样的有心人，把自己的命运与国家的安危联系在一起。所以人们懂得崇拜正直的人、厌恶卑鄙的人，他们是维护正义的战士。

夫理道之先，在乎行教化，教化之本，在乎足衣食。

解读：要想让国家变得合乎礼治，就要先进行教化，但是教育要有一个基本的条件，那就是保证人民生活的温饱。杜佑在《通典》序篇中，强调把政治建立在人民能够温饱的基础上。杜佑希望皇帝要从富足人民的生活上下功夫，只有让普通老百姓没有基本生活的忧虑，才能进一步提高人民的素质。

有志于经邦稽古者，或有考焉。

解读：想要治理国家或者研究文献的人，或许可以拿来参考。这是马端临写《文献通考》的原因。

好著书，不为文章，自负不下刘向、杨雄。

解读：郑樵喜欢写文章，但是不讲究华丽的辞藻，自认为不比西汉的刘向、杨雄这些大学问家差。郑樵是一个很孤傲的人，但是他也是一个很勤奋的人。他花了二十年的时间才写完《通志》，梁启超称赞他是难得的博学之人。

取士不问家世；婚姻不问阀阅。

解读：录取读书人不问他的家庭情况，婚嫁联姻不问对方的门第背景。这是郑樵记录的宋代人的社会习俗，可见当时的风气已经很开放，如同现在的自由考试、自由恋爱一样。很多宝贵的历史资料，就是在这些只言片语中流露出来的。

【"三通"故事】

厚积薄发

《通典》《通志》和《文献通考》这三本书，都是经历了长时间的积累才酝酿成熟的。

《通典》的修撰用了整整三十五年的时间，由于杜佑本身是唐代的一个地方官，因此他对政治有更深的体会和更丰富的经验，但是这并没有使他急于求成，反而让他更加细心体会历史上政治、经济制度的得失，来为当时的政治经济政策提供指导。

《通志》的作者宋代郑樵，从十六岁开始谢绝人事，闭门读书，他没有参加过科举考试，无心于官场，自己一个人住在深深的夹漈山中读书、讲学三十年，所以人称他为"夹漈先生"。郑樵是一个自学成才的代表，他坚持了五十年，终于完成了自己的心血之作。

而元代马端临的《文献通考》，他从三十四岁一直写到五十四岁，也是一部凝聚了二十年心血的作品。

第四章

文明星火，也可燎原

《黄帝内经》：生命的节奏

【《黄帝内经》其书】

很多人以为"内经"是讲人体内在规律的，于是就将《黄帝内经》列为内科的书，但专家解释说，它其实是一部讲"内求"的书。"内求"，就是为了使生命健康长寿，而不断去提升自己的内部秩序和气血。与内求相反的是外求，就是通过吃药、手术来治病，而《黄帝内经》则是提倡通过调理身心来治愈疾病的。

《黄帝内经》出现在战国时期，是中国现存最古老的中医理论书。它总结了春秋至战国时期的医疗经验，并包含了一些天文、历算、生物、地理、心理方面的思想，运用阴阳、五行、天人合一的理论，对人体的解剖、生理、病理及疾病预防、诊断、治疗做了全面的阐述，这基本上就是中医的理论体系。

这本书中只有十三个药方，这就是它内求的一个表现。它的主要内容是如何感受五脏六腑的状态和气血的流动，通过调整气血、经络和脏腑来保持健康，这种思想很像我们现在的养生学。这本书帮助培养了很多著名的中医，比如中国古代著名的大医学家张仲景、华佗、孙思邈、李时珍等，都钻研过这本医书。

【《黄帝内经》名句】

不治已病治未病。

解读：治疗不应该是针对已经病了的，而是针对还没有病的。这种观点虽然是针对医学治疗而言的，但其实它在我们为人处世的方面也有指导意义。菩萨畏因，众生畏果。不要等问题出来之后，被动承受其后果，而是将功夫用在平时，将引起问题的原因铲除。

凡刺之法，先必本于神。

解读：必须全面了解病人的精神状态之后，才可以根据具体情况有选择地施以针刺治疗。救一个万念俱灰的人，先要救他的心，先让他燃起对生命的热情，其他的治疗才有功效。

智者之养生也，必顺四时而适寒暑，和喜怒而安居处，节阴阳而调刚柔。

解读：智慧的人养生，会顺应四季来适应寒暑气候，会心平气和、自得其乐，懂得顺应阴阳的道理。养生不是要好吃好喝，而是一种顺应自然、内心宁静的境界。内心无忧无虑的人，才会长寿而快乐。

老壮不同气。

解读：老年人和壮年人营卫之气的盛衰不同，男子和女子患病的原因和症状也可能不同，因此要区别对待。一个人的年龄、喜好、高矮胖瘦，都是良医眼中重要的信息。

一阴一阳谓之道。

解读：阴阳两方面不偏不倚，才能接近自然的规律。如果偏阴偏阳，那就是病态，中医的目的就是调整阴阳，达到

"平""和"的状态，达到了"平""和"的状态，病就治好了。

【《黄帝内经》故事】

消失的《黄帝外经》

据说与《黄帝内经》相对应的还有一本医书，叫作《黄帝外经》。它没有流传下来，但却让后人为它编了很多故事。

黄帝时期，除了雷公和岐伯这两个医生，还有一位名医叫俞跗（音 fù）。他的医道高明，擅长外科手术。据说，他治病一般不用汤药、石针和按摩，而是在了解清楚病因后，如果要做手术，就用刀子划开皮肤，解剖肌肉，结扎。

有一次，俞跗在过河时，看到几个人从河里打捞出一个溺水而亡的女人，他们正准备埋葬。俞跗上前询问死者掉进水里多长时间了，抬尸体的人说刚掉进水里不久，是捞上来的时候断气的。俞跗就让他们把尸体放在地上，先是给死者把了脉，又看了看死者的眼睛，然后让人找来一条草绳，捆住女人的双脚，倒吊在树上。

一开始大家都不理解俞跗为什么要这样做，但是女人刚一被吊起，就大口大口地往外吐水。直到她停止吐水，俞跗才叫人慢慢将她解下来，仰面朝天放在地上。俞跗用双手帮助女人的胸脯恢复呼吸的节奏。他拔掉自己的几根头发，放在死者鼻孔上观察，结果发现发丝缓缓地动了动，便对身边的人说："她活过来了，抬回家让她好好休养吧！"

在俞跗晚年的时候，黄帝曾派仓颉、雷公、岐伯三人整理俞跗的医书，他们花了很长的时间，纂成卷目，但是，还没有来得及公布于众，仓颉就去世了。后来，俞跗的儿子俞

执继续修订父亲的医书。不幸全家遭遇了大火，俞家上下，都一起化为灰烬。而被烧毁的那本医书，就是本来将要修订好的《黄帝外经》。

《周髀算经》：数学的公理化尝试

【《周髀算经》其书】

我国不仅在医学、文学上有很古老的文献，其实在数学上，也曾经是世界的领跑者。今天我们说的《周髀算经》，就是世界上最早的数学书之一。

《周髀算经》是一部数学专业书籍，简称《周髀》。它在唐代被收入《算经十书》当中，并为《十经》之首。"周"就是圆，"髀"就是股。关于这本书的作者，一直没有定论，一般认为是周公，书上面记载了周公与商高的谈话，成书时间也不确定，应该是在两汉之间或者是西汉时期。

在《周髀算经》中，有勾股定理的最早文字记录，即"勾三股四弦五"，也被称为"商高定理"。但这一定理的出现时间还可以往前推移。《周髀算经》中采用了最简便可行的方法来确定天文历法，揭示日月星辰的运行规律。这本书中有计算地球与太阳之间的距离的方法，由于当时的人并不知道地球是圆形的，加上设备也简陋，因此算出来的数据与现在的科学测量有很大的差距。但是他们的运算方法是完全正确的，这是古人很了不起的地方。

《周髀算经》中还囊括了四季更替、气候变化，并且推理出南北有极、昼夜交替的原理，这些都给农民的生活作息提供了依据。自此以后，历代数学家无不以它为参考，在它的基础上创新和发展。

【《周髀算经》名句】

天不可阶而升，地不可得尺寸而度。

解读：不可以通过台阶和楼梯来测量天的高度，不可以通过尺寸来测量大地的广度。这是《周髀算经》开篇中周公向商高询问的话。周公听说商高精通数学，就拿天地的事情来询问他。古人很早就对天地的形状和大小进行过探讨，人类就是在这种不断的追问中，渐渐认识自然、了解自然的。虽然商高的回答没有真正地解决天地大小问题，但是他的思想指导着后来的人继续探索。科学，往往就是从询问开始的。

【《周髀算经》故事】

天圆地方

在《周髀算经》中，商高说"天圆地方"。那么什么是天圆地方呢？

古人认为最初天与地是连在一起的，把天地未分的时候称为"太极"，后来才分出了天地，也就是阴阳两极。古人的天地概念与我们现在相同，由于日月等天体都是在周而复始、永无休止地运动，而大地却一直默默地承载着我们，如一个方形的物体静止稳定，因此古人就有了天圆地方之说。

在自然界中，凡是圆形的物体都具有好动和不稳定的特点，比如日月；凡是方形的物体，都静止稳定，比如大地。因此古人将运动的"天圆"作为阳的象征，代表一切积极、

主动的事物，而把静止的"地方"作为阴的象征，代表一切消极、被动的事物。

中国传统文化提倡"天人合一"，也就是说要效法自然，天圆地方的观点就是对自然的崇拜和尊敬。一方面运动变化，另一方面又收敛静止。只有这样，人类才能既进步，又和平。

现存的天坛与地坛，就是遵循天圆地方原则修建的。天坛是圆形，圆丘的层数、台面的直径、四周的栏板都是单数，即阳数，以象征天为阳；地坛是方形，四面台阶都是双数，即阴数，以象征地为阴。就算是普通百姓的家里，也常常在方形小院中修一个圆形水池，或者在两院之间修一个圆形的月亮门，这些都是天圆地方的体现。天圆地方这种观点，已经深深地印在了古人的生活当中。

《水经注》：一览大好河山

【《水经注》其书】

古人生活的环境和今天最大的差异，就在于交通。从广西到京城办点事情，今天只要坐几个小时的飞机，但是古代则要花上大半年甚至几年的时间。那时候的主要交通工具就是马，而如果走远路，马匹就要不断更换，但一般人家是没有多余的马匹的。所以古人若想了解自己的生活环境，不如今天这样容易。要看到一条河的全貌，非得爬到附近最高的山上。但就在这样的环境下，还出现了一本杰出的讲水利的书籍，那就是《水经注》。

　　《水经注》是北魏晚期的郦道元为《水经》做的注解，《水经》本是专门记载河道的书，不算有名，但经过郦道元的注解，就变成了一本重要的历史典籍，这不能不说是郦道元的功劳。此书有一万余字，《唐六典》记载说其中记载了全国的一百三十七条水流。

　　《水经注》在《水经》的基础上，详细记载了一千多条河流，是中国古代最全面、最系统的综合性地理著作；书中还记录了不少碑刻墨迹和渔歌民谣，文笔绚烂，语言清丽，具有很高的文学价值；书中引用的很多文献，后来都散佚了，所以《水经注》又保存了许多资料。

　　《水经注》不仅讲河流，还详细记载了河流所经的地貌、地质矿物和动植物，如金、银、铜、铁、锡、汞、雄黄、硫黄、盐、石墨、云母、石英、玉、石材等二十余种，岩石十九种。书中还记载了许多古生物残骸化石和遗迹化石，后世可以从中了解古代的耕作制度、古代植物种类和植被分布、动物的地区分布及其活动的季节性。

　　《水经注》这本书受到后人的重视，这与郦道元的艰辛考察是分不开的。清朝人刘献廷称此书为"宇宙未有之奇书"。

【《水经注》名句】

　　即自欣得此奇观，山水有灵，亦当惊知己于千古矣。

　　解读：自己有幸发现如此奇妙的景观，如果三峡的山水有灵性的话，那么也应当吃惊从远古以来遇到了一位知己。"我见青山多妩媚，料青山见我应如是。"古人对山水的热爱和赞叹的名句一直传颂到今天，郦道元更是将山水引为知己。

"天何言哉，四时行焉，万物生焉。"这是孔子的话。大自然给人的启发太多了，但是今天的生活却缺少大自然的陪伴，这不能不说是一种遗憾。

【《水经注》故事】

了不起的郦道元

《水经注》的作者郦道元，生活于南北朝北魏时期。他家人世代为官，他少年时代就喜爱游览，也跟随家人到过不少地方。后来他长大也做了官，在出差办事的同时，也在各地游历。

他每到一地，除了参观名胜古迹，还留心勘察当地的水流地势，了解沿岸地貌、土壤、气候、人民的生产生活、地域的变迁等等。他在发现古代的地理书《水经》之前，就已经有了很好的知识储备。

当他读到《水经》的时候，他发现里面虽然记载了大小河流的来龙去脉，但不准确，而且由于时代更替，地方变迁，有些河流改道，名称也变了。于是，郦道元开始写《水经注》。

为了弄清楚周围各地的实际状况，他阅读了上百本地理书，查阅了所有的地图，还研究了大量文物资料，并且亲自到实地考察，检验书上的记载是否准确。

当时南北朝战乱，而且有很多国家，因此调查起来相当困难。但是郦道元没有停留在了解自己的地方水利，而是从整个大中国的地理环境出发，到各地去做调研，这一点非常了不起。《水经》原来只有一百三十七条河流，一万多字，经过郦道元的注释，增加到一千二百五十二条，共三十多万字。书中还有火山、温泉、水利工程等内容，而且文字优美生动。历代有许多学者专门对它进行研究，形成一门"郦学"。

《天工开物》：人与自然相协调

【《天工开物》其书】

有一本书被欧洲称为"17世纪中国的百科全书"，它包括了农业、工业等各个方面的内容，涉及社会生活的方方面面，这本书是一个乡村教师凭借自己的所见所闻而写的。这就是《天工开物》。

《天工开物》是明末清初的科学家宋应星的一本著作，它是中国古代一部综合性的科学技术著作。书中记载了明朝中叶以前中国古代的各项技术，尤其详细地记述了机械。全书分为上、中、下三篇，共十八卷，并附有一百二十一幅插图，描绘了一百三十多项生产技术以及工具的名称、形状、工序。这些图片的收集整理对读者来说是一个极大的补充。该书在国外先后被翻译成多种文字。

书中强调人类要和自然相协调、人力要与自然力相配合，叙述了陶瓷、采矿、冶炼等的原料生产和制造过程，是一本内容极丰富的科学技术巨著。

到了清朝，由于清朝政府想要整顿言论，便发起了"文字狱"。任何有对清朝不满的书都会被毁掉，《天工开物》不幸名列被毁书籍当中。民国初年，有人在查找冶炼铜矿的知识时发现了书中提到《天工开物》，他四下搜寻这本书，但是一无所获，于是又去询问各个藏书家，也没有一个人知道这本书。也就是说在清朝近三百年的统治之后，这本书已彻底从中国消失，连知道这本书的人几乎都没有。

后来这个人在一个日本朋友家，发现了《天工开物》的日文版，后来又在日本的图书馆查到了这本书的英文、德文、法文版本。几经周折之后，他终于在法国国家图书馆里找到了《天工开物》的明朝的原刻本，然后重新按照这个刻本，在中国广为印行，自此《天工开物》才得以重见天日。

【《天工开物》名句】

伤哉贫也！欲购奇考证，而乞洛下之资，欲招致同人，商略赝真，而缺陈思之馆。

解读：贫穷是多么悲伤的事情啊！我想买材料加以验证，但是苦于没有钱，想与同人讨论真伪，但却没有场馆。对做学问的人来说，最大的困难不是如何静下心来写作，而是没有物质基础。连生活都没有着落的人，很难再买笔墨纸砚著书立说。但是宋应星这样一个乡野小官，俸禄微薄，却完成了这个宏大的工程，正所谓"有志者，事竟成"。这段写在《天工开物》序言中的话，成了后来的读书人继续前进、自强不息的动力。

【《天工开物》故事】

厚积薄发，大书乃成

宋应星原是一介考生，但是他六次参加考试，都失败而归。他看到纨绔子弟们穿着绫罗绸缎，却不知道布从何而来；读书人埋首书堆，却不知道民间生活的疾苦欢乐。于是他改变了志向，放弃了考试这条路。

不过六次考试却带给了他另外的收获：他六次赶往京都，沿途见到了明朝疆域的辽阔和民间生活的丰富。于是他想尽办法游历大江南北，行迹遍及江西、湖北、安徽、江苏、山东、新疆等地。从东北捕貂到南海采珠、和田采玉，他无不向别人请教。

为了编写一本关于生产实际的书，他广泛调研了农业生产情况，并对许多农业谚语做了分析考证。例如，他记载的"寸麦不怕尺水，尺麦只怕寸水"，就有一定的科学道理。他观察事物非常仔细，在《天工开物》中专讲蚕、桑、丝、棉、纺、织这一卷时，曾亲自数过每只雌蚕蛾产卵有三百多粒，没有堆成一堆，而是自然均匀地铺撒在纸上。

为了弄清楚各种油料作物的出油率，宋应星到榨油坊进行调研，了解到芝麻、菜籽等十六种油料作物的出油率，并把调研结果记入了《天工开物·膏液》卷里。

宋应星善于借鉴前人的科研成果。他在研究蜜蜂的生活规律时，参考了《蜂记》中记述的蜂王的作用，从而把蜜蜂的活动了解得一清二楚。

与其他的科学技术性著作不同，《天工开物》回避了技术追求的单一性，重视人与自然的协调。而宋应星本人，也是一个善于向人学习、善于和自己相处、懂得协调的人。

《营造法式》：绰约的宋代风华

【《营造法式》其书】

今天要建一座房子，需要设计师设计出图纸和计算出各种数据，人们觉得可行才能动工。古代也要如此，但是不同的设计师有不同的报表，有的可能算得多，有的可能算得少，也有人写得很多，其实需要得很少，这些人只是为了中饱私囊而已。于是，宋代政府就专门官修了一本讲建筑规模和用材的书，就是我们今天要说的《营造法式》。

《营造法式》刊行于宋崇宁二年（1103），距今已经有九百多年的历史了，是朝廷的官员李诫在《木经》的基础上编成的。此书等于是北宋官方颁布的一部建筑设计、施工标准的书，它是我国古代最完整的建筑技术书籍，标志着中国古代建筑已经发展到了较高阶段。

说到《营造法式》这本书的由来，还要归功于宋朝的"反腐行动"。北宋建国以后百余年间，大兴土木，到处都在建造宫殿庙宇，而且造型豪华精美，也耗资巨大，负责工程的大小官吏贪污成风，都想从建设项目里面捞一点油水。结果，国库就无法应付浩大的开支。加上北宋的国防贫弱，每年的军费开支也在节节上升，所以政府必须想办法开源节流。这时候王安石开始推行新政，而他的第一个方案就是要缩减财政。于是，就将建筑的各种设计标准、规范、所需的材料、工作日等各项指标都做了死规定，这样一来，官员们想谎报费用都不行了。

《营造法式》是在元祐年间写的，因此又叫作《元祐法式》。起初，这本书对材料的规定还很松，于是朝廷命李诫继续修订。李诫有十年的修建工程经验，同时又参阅了大量的文献和前朝历代的制度，终于编成《营造法式》。《营造法式》主要分为五个部分，即名称解释、建筑规范、用工限制、材料和图样。大到宫殿的整体规划，小到横梁与立柱交接处的角度，砖、瓦、琉璃的配料和烧制方法，《营造法式》无不详细记载。

今天我们读一读《营造法式》，就能知道北宋的宫殿、寺庙、府第等建筑所使用的方法，是中国古代建筑发展过程中的重要环节，也让我们能够隐约看到一个清雅别致的宋朝。

【《营造法式》名句】

渊静而百姓定，纲举而众目张。

解读：只有社会安定，百姓的生活才会安定；只有制度分明，众人才有行事的准则。这是李诫在写给皇帝的《营造法式》序中的话，意思是说，修这样一本建筑通用标准是很有作用的。的确，没有规章制度很难维持社会的有序发展，没有计划和预计也很难办成一件事情。不管是做事情，还是做人，都要有一个看齐的标准，只有随时盯着自己的原则，我们才不会失控，也才能越来越接近目标。

【《营造法式》故事】

宋代建筑

《营造法式》主要记载的是宋代的建筑。时隔一千年，宋代的建筑究竟与现在有什么不同呢？

从整体来讲，宋代的建筑不同于唐代雄浑的特点，而是纤巧秀丽、注重装饰，这与宋朝文人雅士居多，注重艺术美感有关。我们知道宋代有三代官窑，烧造的宋代瓷器享誉中外。同样，宋代的城市也别具特色，一般是临街设店、按行成街。有洋人记载宋代的集市：只要看一条街的头一家，就知道这条街是卖什么的了。那时候也有城市消防、交通运输、商店、桥梁等的讲究。这些都要求建筑要既实用又美观。

北宋时期，中国各地也已不再兴建规模巨大的建筑了，

这是响应节用的号召。因而就只能在已经建好的宅子上下功夫，加强内部的空间层次，并大力发展建筑装修与色彩。现在的山西省太原市晋祠内的正殿及鱼沼飞梁就是典型的宋代建筑。

宋代主要的建筑还是用木材，但是佛塔和桥梁主要用砖。浙江杭州灵隐寺塔、河南开封繁塔及河北赵县的永通桥等，是宋代砖石建筑的代表。

还有一点，就是宋代人开始注重生活的艺术性，也就是开始在堂厅之中挂上书画，在庭院里创造园林的意境之美。假山、流水、岩壑、花木，都是古典园林的必然素材，司马光的独乐园，就是这一时期的园林代表。

《本草纲目》：绿色圣经

【《本草纲目》其书】

《本草纲目》是李时珍的著作，但并不是所有的内容都是李时珍原创的，他验证了前人的说法，同时也增加了新的医学观点和材料，是一部整理汇编的作品。全书共有一百九十多万字，记载了一千八百九十二种药物（新增三百七十四种），分成六十类，是一部集我国 16 世纪以前的药学成就之作，同时在训诂、语言文字、历史、地理、植物、动物、矿物、冶金等方面也有突出成就。

《本草纲目》是一部汇编的作品，其中有很多并不是原书抄录的，修改了古人的很多观点。比如，南星与虎掌本来是同一种药物，过去却误认为是两种药物；葳蕤和女萎本是两种药物，结果却认为是一种。除了这样的修正，本书还载叙了大量宝贵的医学资料，不仅包括大量附方、验方及治验病案，还有一些有用的医学史料，兼有史书的价值。

【《本草纲目》名句】

美酒乃耗财病胃。

解读：美酒是浪费钱又伤害胃部健康的东西。很多人喜好美酒，但是从健康的角度来说酒是不利于身体健康的。为贪一时之快而伤身，是最赔本的买卖。

以纲带目，纲举目张。

解读：按照纲下面有目的规律来列草药，各种草药都能轻易地找到了。为了让每一种药材都有所属，李时珍分门别类，加以汇编。正是这样，今天人们也还能轻易就找到需要的材料。做事情要有章法，整理东西要有秩序，这不是在浪费时间，而是在节约以后的时间。

【《本草纲目》故事】

弃文从医

鲁迅是弃医从文，但是李时珍却是弃文从医，这是怎么回事呢？

李时珍是三代相传的医药人家，祖父是一个医生，父亲李言闻也是当地有名的医生，曾做过"太医吏目"。他不仅有丰富的临床经验，而且在医学理论上也有很高的修养，李时珍曾经称赞自己的父亲在诊断疾病方面的知识是"精诣奥旨，浅学未能窥造"。李言闻曾经写下了一些医学书籍。从

小在这种环境中熏陶，李时珍还没有学会读书，就已经能认识药品了。

但是在当时，医生的地位不高，常与算卦的人一样，不受人尊重，有时还遭到地主豪绅们的欺压。这种情况到了明代更甚，当时还规定医户人家不能改行，必须代代相传。

这种鄙视医术的风气，使李言闻产生了改换医户地位的想法，他不想让儿子也埋没在这下层社会，于是让李时珍走科举道路，兴许可以取得一官半职，光耀门楣。李时珍每天背诵《四书》《五经》，准备迎接科举考试。但是自从他十四岁那年考中秀才之后，就再也没有走运了。他先后参加了三回乡试，三次都失败了。

有一年，蕲州一带发生了严重的疫情，到处都是肠胃病。官府办的"药局"并不关心穷人的疾苦，穷人有病都来找李时珍的父亲医治，因此李家还是很受普通百姓欢迎的。李时珍二十岁那年，身患肺结核，连续几天都咳嗽和发烧，差点儿丧命，好在父亲精心诊治，他才捡回了一条命。从那以后，李时珍不想再参加科举，想立志学医，做一个为病人解除痛苦的医生，父亲看到他意志坚定，也就答应了他。

第五章

文苑精华，一脉相承

《说苑》：古老的小品文

【《说苑》其书】

《说苑》产生于西汉的大文献专家刘向之手，是他在为政府编书的时候，根据皇家藏书和民间图籍，分类编辑故事，然后再对这些故事加以议论，告诉读者某些道理的书。这本书中的故事主要来自先秦至他生活的西汉时期，他说完故事之后或者之前，借题发挥儒家的政治思想和道德观，带有一定的哲理性。所以此书可以看成是一本用故事说道理的书。

《说苑》原本有二十卷，但后来仅存五卷，大部分已经丢失了，直到宋代的文豪曾巩着手整理之后，该书才再次成为二十卷。根据这二十卷的标题，我们就能知道这本书的主要思想：君道、臣术、立节、复恩、尊贤、至公等等，都是在教人要遵守儒家思想。

书中的故事取材广泛，所以后来人们在探讨历史时，就拿它作为参考。书中记载的史事，有的与现存典籍一样；有的与《史记》《左传》《战国策》《韩非子》《淮南子》等书并不相同，这也需要人们多思考究竟孰是孰非。

《说苑》在说理的同时，也富有文学意味，其中有很多哲理深刻的格言警句。此书以对话体为主，文字简洁生动，清新隽永，有较高的文学欣赏价值。

【《说苑》名句】

善言进，则不善无由入矣；不进善言，则善亦无由入矣。

解读：经常听到好的劝说，那么不好的就没办法影响你；经常听不到一些好的建议，好的劝导就无法接近你了。人的生活环境是非常重要的，如果一个人的身边都是优秀、正直的人，那么他自己也就会变得正直、优秀，那些懒散的习惯也就不会养成；但是如果一个人身边的朋友都邋遢、散漫，不学无术，那积极向上的思想也影响不了他。

君子博学，患其不习；既习之，患其不能行之；既能行之，患其不能以让也。

解读：君子学识渊博，但是就怕他不能反复温习；就算温习过了，也担心他不能真正去行动；就算有行动，就怕他自恃才高，不知道谦让。仁义、恭敬这些思想，需要我们在对长辈、对朋友的态度中才能体现出来，而我们需要保持一颗谦逊的心，只有这些都做到了，才算学有所用。正如刘向总结的另一句名言："君子之学也，入于耳，藏于心，行之以身。"

能忍耻者安，能忍辱者存。

解读：能够忍住一时之耻的人才能立身，能够忍住一时之辱的人才能生存下去。生活中有很多不如意的事情，只有懂得忍耐的人，才能坚持到最后，实现自己的理想。

财不如义高，势不如德尊。

解读：财富不如高尚的义气，权势不如尊贵的品德。在司马光生活的时代，他虽然为国家编书，但是生活很清苦。一到夏天热得受不了，他就待在他自己挖的地窖里面整天不出来，写书的时候也挥汗如雨。与此同时，一个姓罗的大户人家，家里建了高高的塔楼，以此来炫耀自己的财富。但是人们都说司马光是受人尊敬的大学者，而那罗家的富人，早就被人遗忘了。

怒则思理，危不忘义。

解读：愤怒的时候要去思考道理，危险的时候不要忘记了道义。关键的时候，要把握住珍贵的东西。

卑贱贫穷，非士之耻也。

解读：一个人身份低贱没有钱财，这并不是他的耻辱。真正的耻辱是不明白道理，自高自大或者妄自菲薄。

出言不当，反自伤也。

解读：说的话不恰当，反而会让自己损伤。说话得体，让双方都能感到愉快；说话不经过思考，伤害了别人，将来也会受到同样的伤害。

【《说苑》故事】

东海孝妇

《说苑》中在讲到人要懂得孝顺的时候，讲了这样一个故事：汉朝时期，东海有个孝妇，年纪轻轻丈夫就死了，也没有孩子，照理说她可以一走了之，但是她却不忍心丢下婆婆不管。她赡养婆婆非常尽心，婆婆也劝她改嫁，但她始终不肯。

婆婆对邻居说："这个媳妇对我太好了，她自己过得这

么清苦，又是无子守寡，这样下去她也只会变成一个孤零零的老太婆，我可不能拖累了她。我说了她也不听，该怎么办呢？"后来，婆婆想到了一个最坏的办法，就是自缢而死，让媳妇安心嫁人。但是不知情的小姑状告孝妇，说她杀了自己的母亲。

狱吏逮捕了孝妇，孝妇不承认自己有罪。狱吏严加拷打，孝妇没有办法就认了罪。但是这个案子呈报上去后，法官认为这个孝妇赡养婆婆十余年，以孝名闻远近，一定不会杀了她。但是办案的太守不听这样的话，法官努力争辩，也没有什么结果，于是痛哭之后，离开了官府。

太守最终判定孝妇谋杀。但是在孝妇死后，郡中枯旱三年。新太守到任后，得知了这样的事情，心想这样的大旱肯定是因为有冤屈，于是杀牛亲自祭祀孝妇冢，并借此表彰其墓，传说当天就立刻下起了大雨。

《文选》：艳而不妖的庄重之花

【《文选》其书】

魏晋南北朝时期，中国文学已经从政治、历史等领域中独立出来，成了一门专门的学问。由于文学作品的数量众多，因此就需要对它们进行品鉴、精简提炼，在这样的情况下，选录优秀作品的文学总集就产生了。据史书上记载，这一时期有两百五十部文学总集，其中不乏优秀的作品，但是流传下来没有丢失的，只有《文选》。

《文选》全名《昭明文选》，是中国现存最早的诗文总集，由南朝梁太子萧统编著。

萧统和淮南王刘安一样，门下有许多文人，当时负有盛名的刘孝绰、王筠、殷芸，以及《文心雕龙》的作者刘勰，都曾做过东宫太子的属官或为萧统赏识，一起讨论篇籍，商榷古今，《文选》就有可能是这些名家共同创造的。

《文选》共收录了一百三十名作家的作品，上起子夏、屈原，一直到当时，但是不录还健在的人，只收录作古的人的作品。这些作家的作品大致划分为赋、诗、杂文三大类，又分列赋、诗、骚等三十八小类。

《文选》以词人才子的名篇为主，因此，儒家经典、历史书以及后来习称为经、史、子的著作一律不选。选录的内容讲究辞藻华美、声律和谐以及对偶、用事切当。

【《文选》名句】

若夫姬公之籍，孔父之书，孝敬之准式，人伦之师友，岂可重以芟夷，加之剪截。

解读：像周公的典籍，孔子的书本，是忠孝和敬重的标准，人伦纲常的师友，怎么能拿来裁剪编著呢？这是《文选》的序言中，解释不选择经典的原因。从这句话可以看出，当时孔子的言论就已经成为人们心中的神圣标准了。这也可以看作是《文选》专注于文学讨论的证明。

文质彬彬，有君子之致。

解读：文章的内容和神韵都要有君子的风度。不能过于浮华而没有内容，也不能太过质朴而没有美感。这是昭明太子的文章标准，不管是内容还是形式，都要尽量追求典雅庄重。

有疑陶渊明诗，篇篇有酒，吾观其意不在酒，亦寄酒为迹者也。

解读：有人怀疑陶渊明的诗中篇篇有酒，我看他的诗意不在酒上，而是以酒来寄托感情。这是《文选》中对陶渊明诗集的评价。欧阳修有云：醉翁之意不在酒，在乎山水之间也。陶渊明写酒，也是同样的意思。

西北有高楼，上与浮云齐。此篇明高才之人，仕宦未达，知人者稀也。

解读："西北有高楼，上与浮云齐"这篇是在说明才华很高的人，在政治上没有施展抱负，也因此感叹缺少知己。《文选》的格式就是这样，前面引用原文，后面解说作者写这首诗的意图。

冉冉孤生竹，结根泰山阿。竹结根于山阿，喻妇人托身于君子也。

解读："冉冉孤生竹，结根泰山阿。"竹结根于山上，比喻的是女子将自己托付给君子。这讲的是男女爱情。

【《文选》故事】

曾有这样一位太子

萧统生活在一千五百年以前，父亲是梁武帝萧衍。作为长子，萧统在两岁的时候就被立为太子了。

萧统作为太子，自然受到了良好的教育。自从十五岁行成年的冠礼后，他便协助父亲梁武帝处理政事，始终没有离开过宫禁，而所谓"使省万机"，也就是处理政务、批阅公文，所以萧统很少有机会直接去了解社会生活。

萧统在少年时期，性情纯孝仁厚。他在十六岁时，母亲病重，他就从东宫搬到母亲的住处，朝夕侍疾，衣不解带。母亲去世后，他悲痛欲绝，在父亲几次下旨劝逼之下，才勉强进食，他本来身体健壮，但等守丧出服后已变得羸瘦不堪，官民们看了，都感动得落泪。

萧统宅心仁厚，他有一次去观看审判犯人，在仔细研究案卷之后，说："这人的过失情有可原，让我来判决可以吗？"刑官答应了，于是他就做了从轻的判决。事后，刑官向梁武帝汇报了情况，萧衍听了连连点头微笑，很高兴儿子是一个宽厚的人。

有一年，由于战争爆发，因此京城粮价大涨。萧统命令东宫的人员减衣缩食，每逢雨雪天寒，就派人把省下来的衣食拿去救济难民。他在主管军服事务的时候，每年都要多做上千件衣服，送给贫民过冬。

《文选》编成时，萧统不过二十五六岁，还是涉世不深的太子，但是他的知识却极丰富。前朝的文集他都有条件阅读，这样，他在吟诗作文的时候，动辄用典。他的诗文偏重典雅而不华丽，一直是读书人的必读课本。有一句俗语说："《文选》烂，秀才半。"只要读好了这本书，差不多也就是半个秀才了。

令人惋惜的是，这位文采斐然的太子，还没有等到继位，便在三十岁的时候去世了，昭明是他的谥号。

《诗品》：品出诗真味

【《诗品》其书】

读诗是中国人的最爱。读一首好诗，如同品尝了一杯好茶、听了一段好音乐一样，令人心旷神怡。南朝时期，就有一个人专门写了一本评价诗文的书，就是《诗品》。

《诗品》，品诗也。它是中国南朝文学批评家钟嵘的作品。钟嵘曾任参军、记室一类的小官，在梁太子萧统十二岁的时候，他立志要仿照汉代"九品论人，七略裁士"的方式，把诗歌也分为上、中、下三品进行评论，所以这本书就叫作《诗品》。

《诗品》所品的主要是五言诗，范围是从两汉到他生活的梁代，一共一百二十二人的作品。在《诗品》中，钟嵘提倡写诗要有力度，反对空谈浮夸。同时，他主张诗歌的音韵要自然和谐，反对刻意去讲究声韵；主张直白，反对故意用典。钟嵘提出了一套比较系统的诗歌品评的标准。后世的唐宋诗歌时期，是中国历史上最辉煌的时期，当时的人们在写诗时真正做到了直白、真实、和谐。

【《诗品》名句】

动天地，感鬼神，莫近于诗。

解读：没有什么比诗歌更能感动天地鬼神的了。诗歌抒发的情感，是一种最热烈、最真实的情感，用诗这种雅致的方式表达出来，这样的情感就能"言已尽而意有余"，令人回味无穷。

　　东京二百载中，惟有班固《咏史》，质木无文。

　　解读：在东汉的两百年间，只有班固的一篇《咏史》算是出众的，但是文章也像木头一样，没有什么优美之处。钟嵘对东汉的文章不太满意，所以用了"质木无文"来形容，非常精妙。

　　骨气奇高，词采华茂，情兼雅怨，体被文质，粲溢今古，卓尔不群。

　　解读：有高傲的骨气，华丽的文采，感情中既有典雅又有活泼，文章既真实又灵动，它的光芒闪耀在古今的诗坛中，卓尔不凡。钟嵘点评曹植的文章精彩非凡，直到现在，也没有谁能比他更能精练地概括曹植的诗文。

　　五言居文词之要，是众作之有滋味者也，故云会于流俗。

　　解读：五言这种形式是文章中的重点，也是众多作品中写得最有滋味的，所以也就会被世俗侵染。五言诗从古诗十九首开始，到唐代的五言律诗绝句，达到了文学上的高峰，这一评价是很正确的。

【《诗品》故事】

江郎才尽

　　钟嵘在《诗品》中说了这样一个故事："淹罢宣城郡，遂宿冶亭，梦一美丈夫，自称郭璞，谓淹曰：'我有笔在卿

处多年矣，可以见还。'淹探怀中，得五色笔以授之。尔后成诗，不复成语，故世传江郎才尽。"

这段短小的文字，就是今天的成语"江郎才尽"的来历。说江淹在宣城的时候，做了一个梦，梦见有一个自称郭璞的人，对他说我有一支笔放在你这里已经很久了，现在该还给我了。江淹从怀中果然摸到了一支五彩笔，就将这支笔还给了郭璞。从那以后，江淹就再也写不出好文章了，所以就说他是"江郎才尽"了。

钟嵘所记的江淹，比他大十三岁。这个故事发生在江淹五十五岁的时候。江淹本来官做得好好的，却因重用他的老皇帝病逝而被罢官，心情当然也不会好，他在忧闷中夜宿冶亭，做了一个不详的梦也是有可能的事情。江淹在变幻无常的官场才思减退，罢官之后才尽，也不足为怪了。

《人间词话》：灯火阑珊处的境界

【《人间词话》其书】

王国维在中国文坛的影响非常深远，他的《人间词话》，直到今天还是古典文学必读书。

《人间词话》是王国维最为人重视的一部作品，它主要是评论文学。王国维是近代的人，他在接受了西洋美学思想的洗礼后，用一种全新的眼光来评论中国旧文学，但又不局限于西方理论，提出了很多自己独到的见解。所以，《人间词话》是一部初具理论体系的新作品，在以往词论界里，许多人把它奉为圭臬，作为词学的教科书和美学的根据，影响深远。

《诗品》将诗歌分为上、中、下三个品级，《人间词话》则是将诗歌分为不同的境界。王国维的诗歌境界有三种，第一种境界是："昨夜西风凋碧树。独上高楼，望尽天涯路。"第二种境界是："衣带渐宽终不悔，为伊消得人憔悴。"第三种境界是："众里寻他千百度，蓦然回首，那人却在灯火阑珊处。"

王国维的诗歌三境界，直白来说，第一种境界是寻找诗意，第二种境界是在创造诗意，第三种境界就是不用刻意创造，而诗意就浑然天成了。这种三境界的观点，既有诗的优美，又有理论的深度，因此常被人引用。

【《人间词话》名句】

能写真景物，真感情者，谓之有境界。

解读：什么叫作有境界呢？就是能用一颗真心去描写景物，表达出真挚的情感，而不是胡乱堆砌辞藻。历史上的名诗佳句，无不是在表达真切的情感。李白豪放、苏东坡潇洒、杜甫沉郁、白居易朴实，这些都是他们的真性情，他们的伟大和可爱之处，就在于流露了真情实感。而华丽的辞藻、工整的对仗，虽然能给人以言语上的美感，却不如真情容易打动人心。

有境界则自成高格，自有名句。五代、北宋之词所以独绝者在此。

解读：有境界的诗文自然就会卓尔不群，留下千古名句。五代、北宋的作品能够超群的原因也就在这里。境界的高低，取决于诗人心胸的大小，所以那些风流文人，不用刻意为之，也能写出风流文章。

太白纯以气象胜。"西风残照，汉家陵阙"，寥寥八字，遂关千古登临之口。

解读：李白是以气象取胜的。"西风残照，汉家陵阙"，仅仅用了八个字，将所有描写登临的诗文都比下去了。有好诗，也要善于读，否则就不能体会到诗的美感。读李白的诗，要留意他的气象。

古今之成大事业、大学问者，罔不经过三种之境界："昨夜西风凋碧树。独上高楼，望尽天涯路。"此第一境界也。"衣带渐宽终不悔，为伊消得人憔悴。"此第二境界也。"众里寻他千百度，蓦然回首，那人却在，灯火阑珊处。"此第三境界也。

解读：读过王国维《人间词话》的人，当记住他的三境界说。需要补充的是，第一境界出自晏殊的《蝶恋花》：

槛菊愁烟兰泣露。罗幕轻寒，燕子双飞去。明月不谙别离苦，斜光到晓穿朱户。昨夜西风凋碧树。独上高楼，望尽天涯路。欲寄彩笺兼尺素，山长水阔知何处。

第二境界出自柳永的《凤栖梧》：

伫倚危楼风细细。望极春愁，黯黯生天际。草色烟光残照里。无言谁会凭栏意。拟把疏狂图一醉，对酒当歌，强乐还无味。衣带渐宽终不悔，为伊消得人憔悴。

第三境界出自辛弃疾的《青玉案》：

东风夜放花千树。更吹落、星如雨。宝马雕车香满路，凤箫声动，玉壶光转，一夜鱼龙舞。蛾儿雪柳黄金缕。笑语盈盈暗香去。众里寻他千百度。蓦然回首，那人却在，灯火阑珊处。

【《人间词话》故事】

谜一样的王国维

《人间词话》的作者王国维，是近代历史上的一个谜。

王国维是浙江海宁人，他出身于一个没落的地主家庭，在青年时代接受了传统的四书五经教育，有很好的国学基础。随着维新变法潮流的影响，他也成为一个接受西方思想的青年。在戊戌变法前夕，他来到上海，进入当时支持变法的《时务报》所在机关工作。变法失败后，《时务报》被封，王国维转到东文学社当职员，同时学习哲学、外语和自然科学。

1901 年，在老师罗振玉的资助下，王国维东渡日本留学，但是不久后，他就因病回国。回国后他先后在苏州和南通的师范学堂教授哲学、伦理学、心理学和社会学。

五年后，王国维到北京担任教育方面的官职，进入京师图书馆，开始编译工作。辛亥革命爆发后，王国维作为清朝的遗臣，跟随罗振玉逃亡到了日本，做清朝遗民。十年之后，王国维回国，担任清华大学国学研究院教授，同时也是"南书房行走"，教已经被废掉的皇帝溥仪读书。在这期间，他完成了《人间词话》。胡适晚年曾回忆王国维说："他样子难看，但光读他的诗和词，以为他是个风流才子。"这位文坛上的风流才子，在 1927 年，跳入颐和园昆明湖中，结束了自己五十岁的生命。

也许是因为他经历了中国最动荡的时代，不能忍受多重的冲击；也许是因为生活困苦，朋友苛责；也许是因为读遍好诗好文，已经心满意足，他这样突然走了，留给后人一长串猜测和揣度。

不论他为什么投湖，王国维广博的学问，对于历史学、文学、哲学、美学深刻的研究，都不会被湖水掩埋。

《菜根谭》：咬得菜根，百事可为

【《菜根谭》其书】

《菜根谭》是明代的洪应明编写的一本书，它是以处世思想为主的格言式小品文集。每一段话的字数不长，但是其中糅合了儒家的中庸思想、道家的无为思想和释家的出世思想，是为人处世哲学的经典之作。

《菜根谭》文辞对仗工整，优美简练，而寓意深邃丰富，耐人寻味，是一部有益于人们陶冶情操、磨炼意志、奋发向上的通俗读物。"咬得菜根，百事可为"，作者的意思是说，如果连菜根都能咽下，还有什么事情办不成呢？所以，《菜根谭》也是青少年成长过程中的一本心灵指导书。

【《菜根谭》名句】

心体澄彻，常在明镜止水之中，则天下自无可厌之事；意气和平，常在丽日光风之内，则天下自无可恶之人。

解读：心灵纯净、心气平和的人，内心充满了美好的情绪，就像常在天朗气清的气候中一样，人也如同明亮的镜子和宁静的湖水，反射出美好的景象，世界上也就没有什么值得厌恶和生气的事情了。

逸态闲情，惟期自尚，何事处修边幅；清标傲骨，不愿人怜，无劳多买胭脂。

解读：安逸闲适的心情，仅仅是因为自己的追求，而不是为了讨好别人，又何必处处在意自己的形象；清瘦雅致的气质，从心底散发，不必在意有没有人垂怜于自己，也就犯不着多买胭脂水粉来装扮出可人的模样了。

攻人之恶毋太严，要思其堪受；教人以善毋过高，当使其可从。

解读：批评别人的错误不要太严厉，要考虑到别人是否能够接受；教育别人学习好的方面，要求也不要太高，要让他能够操作。

遇事只一味镇定从容，纵纷若乱丝，终当就绪。

解读：遇到任何事情，只要坚持从容镇定，即使是杂乱如缠在一起的丝线，最后也会理出头绪。一个人在关键的时候，在危难之中，能够保持镇定，不仅是一种可贵的品质，而且也是战胜困难、避免危险的重要条件。

交友需带三分侠气，做人要存一点素心。

解读：与朋友相处，应有两肋插刀的豪气；为人处世，要保持一颗天真纯朴的心。

建功立业者，多虚圆之士；偾事失机者，必执拗之人。

解读：能够建功立业的，大多是谦虚、圆通的灵活之人；经常惹是生非、错过机缘的，大多是固执己见、不肯变通的人。

争先的径路窄，退后一步自宽平一步；浓艳的滋味短，清淡一分自悠长一分。

解读：众人都在争抢的路会显得格外拥挤，如果选择后退一步，也就能多享受一份宽松；辛辣浓烈的味道虽然刺激，却不能长久地品尝，只有清淡的米饭和水，才是常伴人生的滋味。

地之秽者多生物，水之清者常无鱼，故君子当存含垢纳污之量，不可持好洁独行之操。

解读：大地上有很多污秽腐烂的东西，但却因此滋养了世间的生命，有动物也有植物；但是在非常纯净、毫无杂质的水中，却很难找到鱼虾，因为水太干净，它们没有食物可吃。因此君子也应该像大地一样，有适当的接纳污垢的气量，而不要总是追求高洁纯美，因此而没有朋友。

使人有面前之誉，不若使其无背后之毁；使人有乍交之欢，不若使其无久处之厌。

解读：与其得到人前的赞誉，不如追求让人不在背后说长论短；与其与人有初次见面的欣喜，不如与人长久地相处，而相互不厌烦。

帆只扬五分，船便安。水只注五分，器便稳。

解读：只扬一半的船帆的船在航行时更加安全，不容易被风浪突然袭击，又能够凭借风浪前行；只装一半容量的水的器皿更加稳当，水不会因为太满而溢出，器物也不会因为水不够而摇晃。

【《菜根谭》故事】

聆听自然

《菜根谭》中说，春天到来的时候，花草尚且开出美丽的花朵，为春天献出一片绚烂；鸟儿尚且唱出悠扬的旋律，为春天献出一曲欢歌。做人能有幸成为不俗的君子，不用为衣食担忧，如果不知道言行向善，就是活上一百岁，也和没有活过一天一样。

一年四季，每个季节里都有生命交替、生死变化。但我们总觉得应在春天里孕育生命，夏天里成长灌浆，秋天里收割存储，冬天里歇息准备。其实，真正的农时并不是这样简单安排的，小麦在有的地方确实是春种秋收，但是在有的地域却是冬天播种，夏天收获。但是，为什么我们把收获归功于秋天呢？原因在于，那些生机盎然的景色，总是给我们留下深刻的印象，生命如果从来不曾热情过，就会被忽略、遗忘。

春天是属于唱歌的鸟儿的，虽然别的鸟儿也曾在春天里开始搭窝孵卵，忙碌生存，但是我们还是会把那些欢快鸣唱的鸟儿记在脑海。如果不懂得歌唱，春天对小鸟来说就没有了意义，同样，如果对周围的人没有任何影响，那些有志向、有抱负的人，就如同没有活过一样。虽然我们不能

太看重别人对自己的评价，但是自己的人生价值，还是应该好好地思索。

《小窗幽记》：小窗之下话人生

【《小窗幽记》其书】

《小窗幽记》又名《醉古堂剑扫》，是一本格言警句类小品文集。有人说本书作者是明代人陈继儒。陈继儒善于做文章，在书法上也很有造诣，是当时有名的才子，名重一时。也有人说该书是明代的陆绍珩所著，所以直到今天这本书的作者还是一个谜。

《小窗幽记》从"醒"开始，结束于"倩"。这本书最大的特点就是远离尘世的喧嚣，在对繁杂世风的批判中，透露出哲人式的冷静和理智，它的格言玲珑剔透，短小精美，却有促人警醒、益人心智的作用。这本书自问世以来，不胫而走，成为读者在追求心灵自由洒脱时最好的指南针。

【《小窗幽记》名句】

喜传语者，不可与语。好议事者，不可图事。

解读：不要和喜欢说闲话的人讲话。也不要和喜欢评头论足的人一起商量计划。流言止于智者，所以一些爱说别人闲话的人是缺少明智的，而成大事者不先语，脚踏实地的人才值得尊敬。对于我们来说，做人首先就不要成为这种爱说闲话、爱空口评论的人。

伏久者，飞必高；开先者，谢独早。

解读：潜伏了很久的鸟必然会一飞冲天；早早就盛开的花必然会早谢。"不是花中偏爱菊，此花开尽更无花。"这是诗人在赞美秋菊时说的一句名言。爱菊，是因为她在所有的花都凋零的时候还立于枝头，如同不屈不挠的君子。做人同样也要学会积累，弹簧压得越紧，就能弹得越高。

市恩不如报德之为厚；要誉不如逃名之为适；矫情不如直节之为真。

解读：施恩于人，不如报答人来得厚道；取得名望，不如回避名誉来得舒适；装腔作势，不如处事坦诚来得真实。知恩图报、远离名利、真正自然，这些是只有一个人经历了很多的事情之后才能达到的境界。其中有很多的哲理，可以好好地体会。

大事难事看担当，逆境顺境看襟度，临喜临怒看涵养，群行群止看识见。

解读：当面对大事、难事的时候，就能够看出一个人承担责任的气度；在处于逆境、顺境的关头，就能够看出一个人的胸襟；当遇到喜事、烦事的时候，就能够看出一个人的涵养；在与众人相处的态度中，就能够看出一个人对事物的理解和见识。只有在最危难的时刻，才能看出一个人的气度和见识。

先淡后浓，先疏后亲，先达后近，交友道业。

解读：先淡薄而后浓情，先疏远而后亲近，先结交而后

相知，这是交友的方法。只有相互有所了解，才能判断出是不是自己的知己，贸然倾吐衷肠，日后可能反而尴尬。

会心之语，当以不解解之；无稽之言，是在不听听耳。

解读：心领神会的语言，不用解释就能明了；无中生有的话，听了就当没有听到。

一失足为千古恨，再回头为百年人。

解读：一不小心犯下错误就会造成终身遗憾，等到悔过自新的时候，已经是白发苍苍的老人了。不想给生命留下遗憾，就要尽量少犯错误，三思而后行。

【《小窗幽记》故事】

读书是福

《小窗幽记》中有这样一句话："人生有书可读，有暇得读，有资能读，又涵养之如，不识字人，是谓善读书者。享世间清福，未有过于此也。"人的一生如果有书可读，又有闲暇时间读书，又有资财读书，读了许多书又能使自己不被书中的文字局限，保持了未读书人的单纯，就可说是善于读书的人了。所谓享受世上的清福，也没有比这种福气更大的了。

"古今多少世家无非积德，天下第一人品还是读书""为善最乐，读书最佳"，可见读书是人生乐趣的最高境界。但现在却是，很多人将大把大把的时间耗费在酒桌上、舞厅里、牌桌上、游戏里。很多人可以刷卡逛遍商场，却很少光顾书店，读书这种最高档的享受，却被忽略了。

但是历史上有很多读书人，能够忍受生活上的清苦，却不可以忍受无书可读的日子。编写《通志》的郑樵，就曾背着包袱云游四方。颜回居住在陋巷，但只要可以读书也觉得其乐无穷。

好书如同滋润生命的泉水，懂得享受读书的人，其生命之泉就会永不枯竭。

《围炉夜话》：炉火旁边悟真情

【《围炉夜话》其书】

《围炉夜话》的作者是王永彬，他自称是一个识字的农民，晚年的时候闲在家中，与家人在一个冬日聚到一起，"相与烧煨山芋"，其乐融融之时，把心里的想法说出来，命儿辈编写，所以叫作《围炉夜话》。王永彬谦虚地说这本书"不足为外人道也"，但一经问世，便得到了读者的认可。

《围炉夜话》以"安身立业"为总话题，分别从道德、修身、读书、安贫乐道、教子、忠孝、勤俭等十个方面，阐释了人生的真理。这本书与《菜根谭》《小窗幽记》并称处世三大奇书。他的奇特之处，就在于能顿感世界原来是这样宁静，生命原来是如此伟大。

【《围炉夜话》名句】

士必以诗书为性命，人须从孝弟立根基。

解读：读书人必须以诗书作为安身立命的根本；为人要从孝悌上立下基础。安身立命之本在于扬善弃恶，"诗"既无邪，"书"也无邪，因此能成为读书人处世的根本。做人由最基本的孝悌做起，自然能逐渐推广到"老吾老以及人之老，幼吾幼以及人之幼"的大仁境界。

处世以忠厚人为法，传家得勤俭意便佳。

解读：在社会上为人处世，应当以忠实敦厚的人为效仿对象；传与后代的，只要能让后代得到勤劳和俭朴之意就好了。"受人之托，忠人之事"，"忠"可以于人于事不失，"厚"可以于人于事有利，因此处世只要以忠厚作为标准即可。真正的传家之宝，唯有"勤俭"二字。明白了勤俭的美德，子孙永世都不致困窘。

滥交朋友，不如终日读书。

解读：随随便便就交朋友，不如在家里闭门读书。读一本好书，如同和一个思想者对话，这不也是在认识朋友吗？而且还是了不起的朋友。

但责己，不责人，此远怨之道也。

解读：凡事从自身上找原因，就不会总有抱怨了。这就是孟子说的"行有不得，反求诸己"。

莫大之祸，起于须臾之不忍，不可不谨。

解读：很大的过错，往往都是一时的冲动造成的，因此不能不学会忍受。

【《围炉夜话》故事】

东坡忍痒

《围炉夜话》中记载了苏东坡的一句话：人生耐贫贱易，耐富贵难；安勤苦易，安闲散难；忍疼易，忍痒难。

林语堂在写苏东坡的故事的时候，就有这样一段趣闻：苏东坡是一个性格豪爽的人，他每次睡觉之前，都会先找一下睡觉的状态——一直换姿势，直到摆出一个舒服的姿势后，他才会安心地抓一抓痒痒，等到连痒痒也抓完了，然后就说："这下再有什么痛痒我也不管了"，然后呼呼大睡，鼾声如雷。

苏东坡说"忍痛易，忍痒难"，这真是对人生中的大事小事打的一个绝妙比方啊！

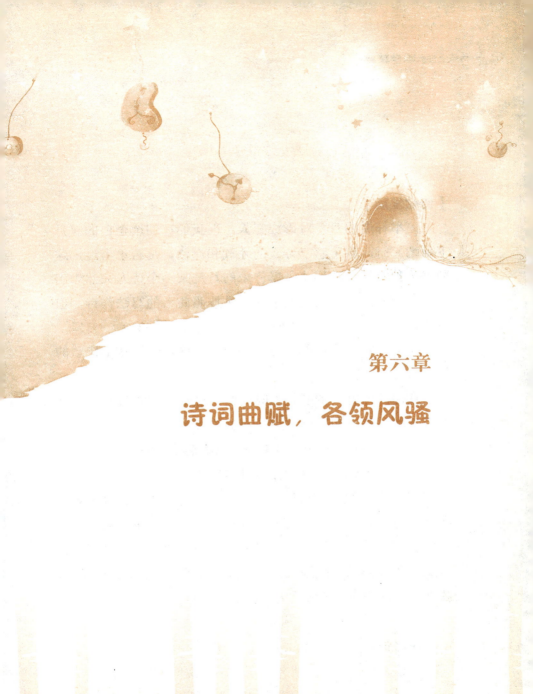

第六章

诗词曲赋，各领风骚

古谣谚的真情

【诗歌发展】

"举杯邀明月，对影成三人。"我们在朗读李白的《月下独酌》时，除了感叹诗人的才气和潇洒，是否思考过，这种优美独特的诗歌形式是怎样来的？是某一个诗人突然想出来五言、七言诗，还是大家都只是按照前人的写法作诗，但并不知道是谁先创造了诗歌？

在上古时期，就已经出现歌谣了，这种歌谣就是诗歌的母亲。

歌谣的内容，主要是当时的社会生活，包括劳动生产、恋爱婚嫁、祭祀和图腾、宗教和战争等内容，是人们情不自禁地唱出来的短小句子，有韵律，富有感情色彩。

《尚书·虞书》中说："诗言志，歌永言，声依咏，律和声。"《礼记·乐记》中也说："诗，言其志也；歌，咏其声也；舞，动其容也；三者本于心，然后乐器从之。"可以看出，诗、歌与乐、舞在早期是一体的。诗即歌词，总是配合音乐、舞蹈而歌唱。不过后来诗、歌、乐、舞各自发展，独立成体，诗与歌就统称为诗歌了。

【歌谣名句】

《弹歌》：断竹、续竹、飞土、逐宍（音 ròu）。

解读：这是收录在《吴越春秋》中反映当时的劳动生产的歌谣，相传为黄帝时代的作品，描写的是渔猎时代的劳动

过程。砍断竹子做弓箭，拉上弓，射出去，射中了猎物。就是这样一个捕猎的过程，每一步都用两个字概括，有点像我们今天的"操作要领"。这首短歌流露着自豪和喜悦之情，因为人们已经掌握了制造灵巧工具的技巧，他们希望通过弓箭来获得更多的猎物。

《蜡辞》：土反其宅，水归其壑，昆虫毋作，草木归其泽！

解读：这是《礼记·郊特牲》中的一篇歌谣，相传为神农氏时代的作品。"蜡"是周代在每年的十二月举行的祭祀百神之礼，蜡礼上要用祷辞，即称"蜡辞"。

从这首短歌命令的口吻来看，这实际上是对自然的"咒语"。大水泛滥，土地被淹，昆虫成灾，草木荒芜，眼看收获无望，原始人企图靠着这种有韵律的语言，来指挥自然、改变自然，使它服从自己。

《周易》中《归妹·上六》：女承筐，无实；士刲羊，无血。

解读：牧场上的男男女女们在剪羊毛、拾羊毛，女的承筐装羊毛，不觉得有重量；男的剪羊毛，不见血。内容轻快、生动，有情有景。

【歌谣故事】

《诗经》采风

我国历史上第一部诗歌的专辑，就是《诗经》。"关关雎鸠，在河之洲。窈窕淑女，君子好逑"，当时孔子也读过《诗经》，有人说他还整理过这本书。

《诗经》中，有史诗、讽刺诗、叙事诗、恋歌、战歌、颂歌、节令歌以及劳动歌谣等等，这本书不是同一个人完成的，也不是在同一个时期完成的，而是政府中派人到四处收集的民间歌谣，经过几代人共同完成的。

《诗经》囊括了约五百年的诗歌，共三百零五篇，所以又称为"诗三百"。我们常说的"风""雅""颂"就是《诗经》的三个部分。其中《风》指的是十五个诸侯国的民间歌曲，共一百六十首；《雅》是周王朝国都附近的乐歌，共一百零五首；《颂》是国王用于宗庙祭祀的乐章，旨在歌颂祖先的丰功伟绩和鬼神的巨大威力，包括祭歌、赞美诗等，共四十首。

《风》是《诗经》中的精华。这些诗歌来自民间，是政府派人到处去收集的，没有或很少有雕饰，展示了周代民歌的绚丽多彩。《风》中的作品反映了普通劳动者真实的生活，比如表达青年男女对美满爱情的向往和追求的《关雎》《出其东门》；表达奴隶悲苦命运的《伐檀》《硕鼠》；有关战争的《扬之水》《君子于役》等等。这些都是普通老百姓的心声，是他们对丰收、爱情、和平的呼唤。

《诗经》原来的主要用途，一是作为各种庆典礼仪的一部分，供人们吟唱；二是娱乐，也有人通过歌谣表达对社会和政治问题的看法。但到后来，《诗经》逐渐成为贵族教育中普遍使用的教科书，要有文化，就必须读《诗经》，就这样，《诗经》成了中国最重要的几种经典之一。在重要的社交场合，文人贵族都以引用《诗经》为骄傲，《论语》记载孔子的话说："不学《诗》，无以言。"

楚辞的韵味

【楚辞略说】

"楚辞"又称"楚词"，本义是指楚地的言辞，后来逐渐固定为两种含义：一是由屈原创造的诗歌体裁，二是诗歌总集的名称。《楚辞》这部作品中运用了楚地的文学样式和方言，叙写楚地的山川人物、历史风情，具有浓厚的地方特色。到了汉代，刘向把屈原、宋玉及汉代贾谊、淮南小山、庄忌、东方朔、王褒、刘向诸人的仿《离骚》的作品编辑成集，命名为《楚辞》，所以《楚辞》中不光有屈原的作品，也有其他人的一些同类型的文章。

《楚辞》的出现，打破了《诗经》以后两三个世纪的沉寂，在诗坛上大放异彩。后人也因此将《诗经》与《楚辞》并称为"风骚"。"风"指十五国风，代表《诗经》，充满着现实主义精神；"骚"指《离骚》，代表《楚辞》，充满着浪漫主义气息。风、骚成为中国古典诗歌中现实主义和浪漫主义的两大流派。

【楚辞名句】

路曼曼其修远兮，吾将上下而求索。

解读：长路漫漫，但是我要努力寻找方向。屈原在人生之路上上下求索，为了民生和家国永远前进，其实他的投江，就是求索的最高乐章。

长太息以掩涕兮，哀民生之多艰。

解读：我掩面流涕，只是为了人民生活的艰辛困苦。不为自己的得失而流泪，社会的衰败才让人痛苦。看到楚国民生艰难，屈原忍不住流泪。他的这种忧国忧民的精神，一直受到后世君子的崇敬和理解。

老冉冉其将至兮，恐修名之不立。

解读：我一天天老去了，越来越担心为国立功的美名还没有建立起来。时间是人类最大的对手，没有人可以战胜时间。在有限的生命中多多努力，到了老年才不会后悔。

民生各有所乐兮，余独好修以为常。

解读：人们各有自己的爱好，我独独喜欢修养美德。爱好美德的人，至少能成为一个懂得欣赏的观众，能理解世间的美好，这就是为什么很多人建议"好修以为常"。

何方圆之能周兮？夫孰异道而相安。

解读：方的和圆的怎么能合在一起？志向不同的人怎能相安无事。在宋代，管宁和华歆之间，也正是"道不同不相为谋"。好朋友只有志趣相同，才能友谊长久。

与天地兮同寿，与日月兮争光。

解读：我要和天地一样长生，要和日月一样光辉。人的生命是不可能与天地、日月相比的，但是人的精神是可以永存的，屈原的精神就留在了人民的心中。

鸟飞返故乡兮，狐死必首丘。

解读：候鸟飞走后，还是要回到故乡的，狐狸在弥留的时候，一定要将头向着巢穴。动物都如此思念家乡，更不用说人了。

举世皆浊我独清，众人皆醉我独醒。

解读：世人都浑浊不堪，只有我清白；大家都醉生梦死，只有我清醒。屈原的孤独是精神上的，他因为没有知己，所以感到了世间的可怕。如果有人能读懂他的心，也许就不会发生汨罗江上的悲剧了。

尺有所短，寸有所长。

解读：长尺与竹竿比就显得短了，短寸与秋毫比就显得长了。任何事情都是相比较而言的，在感到不满足的时候，要想到"比上不足，比下有余"。

【楚辞故事】

屈原投江

战国时期，楚国和秦国争夺霸权。楚怀王很器重屈原，但是屈原的主张却屡屡遭到以上官大夫靳尚为首的守旧派的反对，他们不断在楚怀王面前诋毁屈原，使楚怀王渐渐疏远了屈原。

公元前229年，秦国攻占了楚国八座城池，后又派使臣请楚怀王去秦国议和。屈原看破了秦王的阴谋，冒着生命危险进王宫陈述利害，楚怀王不但不听，反而将屈原逐出郢都。

楚怀王遵守与秦王的约定，如期赴会，但是一到秦国，他就被囚禁起来。楚怀王悔恨交加，忧郁成疾，三年后客死于秦国。楚顷襄王即位不久，秦王又派兵攻打楚国，顷襄王仓皇撤离都城，秦兵攻占郢城。屈原在流放途中，在接连听到楚怀王客死异乡和郢城被秦兵攻破的坏消息后，悲痛万分，仰天长叹一声，便投入了滚滚激流的汨罗江。

屈原的尸体被淹没在了汨罗江的滔滔江水之中，可是他的精神却永远流传了下来。今天我们依然可以从《楚辞》中读出诗人当时的情怀。

唐诗的风骨

【唐诗略说】

中国文学的全胜时代，应该是在唐宋。唐诗，是唐朝文学中最耀眼的一颗珍珠，也是中国古典文学的最高峰。直到今天，也没有哪个朝代能像唐朝那样诗人辈出、诗作大气磅礴，唐诗是我们古典文学的骄傲。

唐朝起自公元 618 年，终于公元 907 年，在这接近三百年的时间里，涌现出了贞观之治、开元盛世这样的文化繁荣时期；也出现了颜真卿、柳公权这样的大书法家；还有胡腾舞这样的异域文化……唐代是中国历史上当之无愧的盛世。而在这盛世画卷当中，最耀眼的莫过于唐诗。

唐代的诗人特别多。除了李白、杜甫、白居易这样世界闻名的伟大诗人，今天知名的唐代诗人还有两千三百多人，保存在《全唐诗》中的作品也有四万八千九百多首。

唐诗的内容非常广泛，有的从侧面反映当时的社会矛盾；

有的歌颂正义战争，抒发爱国之情；有的描绘祖国河山的秀丽多娇；有的抒写个人抱负和遭遇；有的表达儿女爱慕之情；有的诉说朋友交情；有的感慨人生悲欢；等等。从自然现象、政治动态、劳动生活、社会风俗，直到个人感受，都在诗人的笔下展现出来。他们或用理性的思想，或用浪漫的想象，或者两种兼而有之来作出优美唐诗。

从直观的形式上看，唐诗的形式很全面。唐代的古体诗有五言和七言两种，近体诗也有绝句和律诗两种，绝句和律诗又各有五言和七言的不同。古体诗对音韵格律的要求比较宽松，句数可多可少，篇章可长可短，韵脚可以转换；而近体诗对音韵格律的要求比较严格，句数有限定，绝句四句，律诗八句，每句诗中的用字有平仄之别，韵脚不能转换。律诗还要求中间四句对仗。古体诗的风格是前代流传下来的，所以又叫古风；近体诗有严整的格律，所以有人又称它为格律诗。

唐诗不仅继承了汉魏民歌、乐府的传统，而且大大发展了歌行体；不仅继承了前代的五言、七言古诗，而且发展为叙事言情的鸿篇巨制，创造了风格特别优美整齐的近体诗。近体诗把我国古曲诗歌的音节和谐、文字精练的艺术特色，推到了前所未有的高度，为古代抒情诗找到了一个最典型的形式，直到现代，有人能有感而作一首格律诗，还被视为是很了不起的事情。

【唐诗名家】

李白

"仰天大笑出门去，我辈岂是蓬蒿人。"李白的形象一直和潇洒的侠客紧密相连，相传他也总是随身佩带宝剑，高兴时挥剑作舞，愤怒时弹剑作歌。李白是一位性格豪迈、感情奔放、向往建功立业的诗人。他的诗充分表现了盛唐社会中的士人的自信与抱负，神采飞扬，充满理想色彩。

李白的七言绝句是唐代七绝的代表作，他诗中有爆发式的抒情、变幻莫测的想象和明丽的意象，他把乐府和歌行写得行云流水，是无人能及的。

李白生于盛唐，感受着盛唐昂扬的时代精神，又经历了唐代社会的衰败。因此，在他的诗里，既有建功立业的信心，又常有愤慨不平的怒气。李白曾经得到唐玄宗的赏识，在天子面前他也依然饮酒放歌，毫不谄媚。但他不久被权臣毁谤，被逐出朝廷，他才明白朝政其实已经腐败不堪。

"吟诗作赋北窗里，万言不值一杯水"，是他的才华不得看重；"骅骝拳跼不能食，蹇驴得意鸣春风"，是他对那些庸才之辈的愤恨。安史之乱之后，他前后两次从军，希望以一己之力效忠国家。他既是一位天才诗人，又是一个有血有肉、敢爱敢恨的真名士。

宋词的雅趣

【宋词略说】

诗属于唐朝，词属于宋朝。宋代的文人另辟蹊径，从词的创造上来树立自己的风格。宋词是可以与唐诗媲美的，虽然其也有很多豪迈、大气的作品，但宋词还是带上了宋朝的气息，犹如一朵栀子花，并不招摇，却那么美丽。

　　词原本是流行于市井酒肆之间的一种通俗艺术，唐诗在风姿绰约的时候，词不过是一个隐匿在花街柳巷的小女子。在晚唐五代时期的《花间集》中，已经有了词这个小姑娘的美丽身影，但这时的词还仅限于描写浮华的生活，是一种风尘女子的妖艳，好看但是不经看。

　　宋代初期，词沿袭了这种风格，辞藻华丽、情感细腻。这时候的代表人物是柳永，他曾因写"忍把浮名，换了浅斟低唱"而得罪了仁宗皇帝，一生都郁郁不得志，流连于歌坊青楼之间，所谓"凡有井水饮处，即能歌柳词"。

　　当时著名的词人晏殊在当上宰相之后，碍于身份，对他以前所作的词都矢口否认。宋朝有很多艳妓，她们也是懂得欣赏词曲的人，因而宋词的流传和推广，也有她们的功劳。

　　随着词在宋代文学中的地位越来越重要，词的内涵也不断地得到充实。"人不寐，将军白发征夫泪"，这种边塞词的出现，使只闻歌筵酒席、宫廷风情、脂粉相思的世人耳目一新。到了苏东坡时，首开豪放词风，"大江东去，浪淘尽，千古风流人物"，这样大气磅礴的作品，让宋词不仅是文人士大夫寄情娱乐的工具，更表达了当时的士大夫对时代、对人生乃至对社会政治等各方面的感悟和思考。从苏词之后，宋词彻底跳出了歌舞艳情的巢窠，成为可以与唐诗相提并论的艺术。

　　后来，人一般将宋词分为婉约派和豪放派。婉约派的代表人物有李清照、柳永、秦观等，豪放派的代表人物有辛弃疾、苏轼、岳飞、陈亮等。

【宋词名家】

李清照

中国历史上有记载的女文人不多，李清照算是影响最大的一位。她生活在北宋和南宋转换的时代，因为主要作品在南宋，所以被划为南宋杰出女词人。

李清照（号易安居士）生于济南章丘，与济南历城辛弃疾（字幼安）合称"济南二安"。她的父亲李格非是著名学者、散文家，母亲王氏知书善文，丈夫赵明诚为吏部侍郎赵挺之子，是有名的金石考据家。在这样的家庭中，李清照生活优裕，也接受了良好的教育。早年她的词都能看到在这种安逸环境下的影响，文风清新，富有情趣。"蹴罢秋千，起来慵整纤纤手"正是这一时期的写照。

中原沦陷后，李清照与丈夫南流，过着颠沛流离的生活。她随身携带的书画财宝渐渐典当和失散，丈夫明诚病死后，更是让她境遇孤苦。坎坷的遭遇让她的性情也发生了变化，她的诗文感时咏史，词也与前期迥异。"寻寻觅觅，冷冷清清，凄凄惨惨戚戚"，她的生活变得困苦，思想上也很孤独，真是"怎一个愁字了得"。

元曲的畅达

【元曲略说】

元朝是中国历史上一个由少数民族建立的朝代，由蒙古族统治者忽必烈于 1271 年创建。这一时期，民族间的融合加强，文学中也沾染了蒙古人的口语习惯。元朝最有名的莫过于戏曲，今天我们要说的，就是元曲。

元曲是杂剧和散曲的合称，散曲又有套数、小令、带过曲之别。那时的元曲主要是元杂剧，因此"元曲"也单指杂剧。元曲和唐诗宋词鼎足并举，是我国文学史上三座重要的里程碑。

随着宋室的灭亡，蒙古人建立政权，元曲先后在大都（今北京）和临安（今杭州）开始流传。

元曲有严密的形式，每一曲牌的句式、字数、平仄等都有固定的格式要求。但又比较灵活，允许在定格中加衬字，部分曲牌还可增句，押韵上允许平仄通押。

元曲将传统的诗词、民歌和方言俗语糅合为一体，形成了诙谐、洒脱、率真的艺术风格。

元曲之所以能够迅速发展，与当时"八娼九儒十丐"的文人地位相关。读书人不再像宋代那样得到重视，因此他们留落到民间，加上政治专权，元曲便带上了战斗的色彩。元曲揭露了"不读书最高，不识字最好，不晓事倒有人夸俏"的社会，直指"人皆嫌命窘，谁不见钱亲"的世风。元曲中描写爱情的作品也比历代诗词来得泼辣、大胆。相比于唐诗宋词，元曲的风格更加接近老百姓，也成为普通人喜欢看的一种表演方式。

【元曲名家】

关汉卿

被称为"曲圣"的关汉卿，是元曲的代表人物。

关汉卿是河北人，他与马致远、郑光祖、白朴并称为"元曲四大家"，且位于"四大家"之首。贾仲明称他为"驱梨园领袖，总编修师首，捻杂剧班头"，他在元代剧坛上的地位是无人可及的。

关汉卿不是一个酸腐的文人，他曾写有《南吕一枝花》赠给女演员珠帘秀，他曾毫无惭色地自称："我是个普天下的郎君领袖，盖世界浪子班头。"他还说自己"是个蒸不烂、煮不熟、捶不匾、炒不爆、响珰珰一粒铜豌豆"。

关汉卿编有杂剧六十七部，现存十八部。著名的作品有《窦娥冤》《救风尘》《望江亭》《拜月亭》《鲁斋郎》《单刀会》《调风月》等，这些都被后人编成了不同的剧本和不同的剧种来表演。

关汉卿的剧本有强烈的战斗精神，他的作品很少是风花雪月、才子佳人的简单故事，而是充满着浓郁的时代气息。剧本中既有皇亲国戚，又有童养媳，反映了生活中的各种角色。慷慨悲歌，乐观奋争，是关汉卿剧作的基调。

关汉卿笔下有众多普通女子，冤女窦娥、妓女赵盼儿、少女王瑞兰、寡妇谭记儿、婢女燕燕等，各有性格。她们大多出身微贱，但是她们正直、善良、聪明、机智，懂得反抗。

韩柳文章，回到淳朴的文风中

【古文运功】

"古文运动"指的是唐宋时期的文学革新运动，这次运动主要是复兴儒学，反对骈文，提倡古文。

"古文"不是相对"今文"而言的，而是相对骈文而言的。先秦和汉朝的文章，质朴自由，不受格式拘束，用这种形式写出来的文章真实而富有情感。但自南北朝以来，文坛上盛行骈文。骈文讲究对偶、声律、典故、辞藻等，刚开始的时候让人耳目一新，但是久而久之就显得华而不实，虚情假意。

但是，骈文能够体现出一个文人的技巧和功底，越是辞藻华丽、对仗奇巧，越容易赢得别人的称赞。所以就算这种文体不实用，还是有很多文人喜欢用，就连唐太宗都喜欢写骈文。

中唐前期，一批文人先提出宗经明道的主张，并用散体作文，这就是古文运动的先驱。韩愈、柳宗元进一步提出了一套完整的古文理论，并以身作则，写出了很多优秀古文作品，引起了追随者的热烈响应，于是，古文终于在文坛上替代了浮华的骈文，成为文坛的主流。

【古文名家】

韩愈

韩愈不仅是唐代文学家，而且是一位哲学家。他是今河南焦作人，世称"韩昌黎"，又称"韩文公"。

韩愈三岁失去父母，由兄嫂养育长大。他早年流离困顿，但有读书经世之志，刻苦好学。他在二十岁的时候，赴长安考进士，但是一连考了三次都没有考上，直到二十五岁后，他才中进士，但是没有进一步深造的机会，就到节度使那里任职去了。

三十六岁后，他担任了监察御史。有一年，他看到大旱之后灾民食不果腹，就写了一封奏折，请政府减免赋税，结果被贬为阳山令。五十岁后，他又因为直言获罪，被贬为潮州刺史。后来他历任了国子祭酒、兵部侍郎、吏部侍郎、京兆尹等职，五十七岁时辞世。

韩愈在政治上较有作为。他的诗力求险怪新奇，雄浑而重气势。但是他也喜欢用一些生僻的字，因此他的诗很少被传颂。他在文学上最重要的身份，是唐代古文运动的倡导者。

韩愈主张学习先秦和两汉的散文，反对浮华无物的骈文，希望扩大文言文的表达功能。宋代苏轼称他"文起八代之衰"，到了明代，被推为唐宋八大家之首，与柳宗元并称"韩柳"，有"文章巨公"和"百代文宗"之名。

韩愈善于使用前人的词语，又创造出许多新的语句，"落井下石""动辄得咎""杂乱无章"等都是他的成果。

韩愈的文章浅显易懂，比如《师说》《祭十二郎文》等文章，被选入了学生的教材当中。

临川四梦，人生悲欢尽在梦中

【临川四梦略说】

明代有小说，也有著名的戏剧。这种戏剧可以说是元杂剧的继承和发展，也是小说的蓝本。今天我们要格外讲到的是名家汤显祖的"临川四梦"，光听这个名字，似乎就能感受到里面有趣的故事了。

"临川四梦"指的是《紫钗记》《牡丹亭》《南柯记》《邯郸记》这四部戏剧。从内容上看，前两个是儿女感情戏，后两个是社会风情剧。因为这四部剧作都有梦境，所以人们就合称为"临川四梦"，这四部剧作都是明代人汤显祖编写的。

曾有人在概括"临川四梦"时说："《邯郸》，仙也；《南

柯》，佛也；《紫钗》，侠也；《牡丹亭》，情也。"这个评论指出了汤显祖的"梦文化"的美妙情境。

《紫钗记》讲的是霍小玉与书生李益喜结良缘、后被卢太尉设局陷害，又因豪侠黄衫客从中帮助，终于解开猜疑，消除误会的故事；《牡丹亭》写杜丽娘因梦生情，后来伤情而死，变成牡丹仙子，后来起死回生，与柳梦梅永结同心的故事；《南柯记》讲述了书生淳于棼梦见自己是大槐安国的驸马，任南柯太守，享尽了荣华富贵，梦醒之后皈依佛门的故事；《邯郸记》中，卢生梦中娶妻，中了状元，建立功勋于朝廷，位及宰相，享尽荣华富贵。醒来才知是黄粱一梦，看透人生的故事。

梦境千变万化，衷于一个"情"字。《南柯记》《邯郸记》可以说是情生情幻、亦真亦假，而《紫钗记》则体现出"情乃无价，钱有何用"，《牡丹亭》之梦生生死死，寻寻觅觅，是对爱情的信仰和追求。

"临川四梦"问世之后，就盛演不衰。这或许是因为"四梦"概括了人生中可以经历的情。而且这四个剧本的文笔优美，其中有很多传世的片段，成为才子佳人吟诵感叹的经典。

【临川四梦名句】

牡丹亭

【皂罗袍】

原来姹紫嫣红开遍，

似这般都付与断井颓垣。

良辰美景奈何天，

赏心乐事谁家院？

朝飞暮卷，云霞翠轩，

雨丝风片，烟波画船。

锦屏人忒看的这韶光贱！

【汤显祖故事】

恨不相逢有生时

《牡丹亭》写的是痴情女子死后幻化成精，陪伴在爱人身边，最终复活的故事。其实，在汤显祖的生命中，也出现过一位传奇女子。

有一位名叫俞二娘的女子，"秀慧能文词"，非常喜欢《牡丹亭》。她用蝇头细字，批注在剧本的旁边，同时深感自己不如意的命运也像杜丽娘一样，于是终日郁郁寡欢，最后握着《牡丹亭》病逝了。

汤显祖得知这个消息后，挥笔写下《哭娄江女子二首》，其中有"一时文字业，天下有心人"的感叹，他这位落难文人觅得知音，但对方已经香消玉殒了。

《世说新语》：还你一个生动的古人

【《世说新语》其书】

《世说新语》是南北朝时期的一本书，记载的都是魏晋人物的言谈、逸事，是一本笔记小说。《世说新语》是由刘宋临川王刘义庆组织一批文人编写的，后来由刘孝标注解。全书分为德行、言语等三十六门，记述从汉末到刘宋时的名士贵族逸闻逸事，但并不是什么花边新闻，而是人物评论、清谈玄言和机智应对的故事。

　　这本书中有些事虽然不确切，但反映了门阀世族的思想风貌，有很高的史料价值。

　　这本书不是刘义庆写的，他只负责指导和主持编纂工作。有的日本学者推断这本书出自谢灵运的好朋友何长瑜之手。

　　《世说新语》中的文字质朴，有时用的是口语，意味隽永，在晋宋人文章中很有特色，因此历来为人们传颂，其中还有不少故事成了诗词中常用的典故。要想读懂诗词，也是需要先读一读这本书的。

【《世说新语》名句】

　　小时了了，大未必佳。

　　解读：少年时聪明，等长大了不一定有作为。指不能只看到事物或人的表面现象。一个小孩子，先天聪明自然好，但如果缺乏后天的培养和努力，长大后反会变成最无用之人。所以我们不能自以为天赋异禀，不肯好好学习，这样只会聪明反被聪明误，难以成才。

　　飘若浮云，矫若惊龙。

　　解读：飘逸如同天上的浮云，矫健如同空中的游龙。这是形容王羲之的书法之妙的。王羲之对真书、草、行诸体书法造诣都很深。他的真书势形巧密，开辟了一种新的境界，他的草书浓纤折中，他的行书苍劲而妩媚。人们称他的字"飘若浮云，矫若惊龙""龙跳天门，虎卧凤阁"。

　　覆巢之下，焉有完卵。

　　解读：在摔掉在地上的鸟巢里面，又怎么会有完好的鸟蛋呢？孔融在被捕时，家中人人自危，但两个八九岁的孩子却在那儿玩游戏，没有一点惶恐的样子。家人以为，孩子不懂事，大祸临头还不知道，便偷偷地叫他们赶快逃跑。孔融恳求官员放了他两个幼子。不料大的那一个孩子竟不慌不忙地说："父亲，您不要恳求了，他们是不会放过我们的。覆巢之下，焉有完卵？"孩子的这句话被曹操知道后，曹操下令处死两个孩子，因为他们从小就这样聪慧有谋，将来必定是祸患。

【《世说新语》故事】

割席绝交

三国时的人管宁和华歆（音 xīn）是同窗好友，但是他们两人性格不同：管宁漠视富贵荣华，一心钻研学问，有远大的志向；华歆却羡慕权势，不愿读书。

一次，他们在一起锄地时，翻出一块金子。华歆喜出望外，想据为己有，但是管宁却不为所动。还有一次，一辆豪华的车子从他们的面前经过，管宁照旧读书，而华歆赶紧丢下书本出去看，回来后还向管宁夸个不停。正全神贯注看书的管宁越听越反感，他拔出身上的刀，把两人同坐的席子割成两半，表示从此同华歆断绝朋友关系。

第七章

古典艺术，净与杂的万花筒

书法：笔墨纸间，静定之美

【书法其派】

汉字是世界上最古老的文字之一，也是可以与图画、雕塑媲美的艺术品之一。在中国历史上，有很多优秀的书法家，他们用笔墨在绢纸上舞动，留下著名的书法作品。

书法，是中国传统艺术之一，已有三千多年历史，指用毛笔书写篆书、隶书、正楷、行书、草书等各体汉字的艺术。最初是商周的金文，其后发展到秦朝的篆刻、汉朝的隶书、魏晋的草书、魏碑、唐朝的楷书、宋朝的行书。书法在技法上，讲究执笔、用笔、点画、结构、章法等，与传统绘画、篆刻密切相关。

【书法名家】

颜真卿

颜真卿是唐朝一个很有威望的老臣。安史之乱前，他担任平原太守。安禄山发动叛乱后，河北各郡大都被叛军占领，只有平原城因为颜真卿坚决抵抗，没有陷落。颜真卿又是我国历史上著名的书法家。他写的字雄浑刚健，挺拔有力，表现了他的刚强性格，被称为"颜体"。颜体是楷书的一种。从特点上论，颜体法度之严峻、气势之磅礴前无古人。从美学上论，颜体端庄美、阳刚美、人工美，数美并举。从时代论，唐初承晋宋余绪，未能自立，颜体一出，唐文坛所铸新体成为盛唐气象的鲜明标志之一。

柳公权

柳公权也是唐朝的书法家，他的字被称为"柳体"。其结构严谨，刚柔相济，疏朗开阔，为书法界珍视，素有"颜筋柳骨"的美称。它的特点是两竖相向，即一个字中左右两边并列的两面三刀竖，在左的向右弯，在右的向左弯，形成一种相向之势，收放有对致、参差变化。在一字之内，有的笔画写得比较收敛，有的笔画写得则很舒展。

虞世南

虞世南，是由隋入唐的"初唐四大书家"之一。自幼跟智永和尚习书法，所谓"深得山阴真传"，就是指他深信王羲之的笔法。唐代自文宗以后，历朝皇帝都以王羲之的书体为楷模。唐太宗曾"以金帛赐求王羲之书迹，天下争赍古书，诣阙以献"，虞的书法，继承多于创造，加上虞世南博学卓识，坦诚忠直，故而深得宠幸。唐太宗誓言远学王羲之，近学虞世南，足见其影响力。"虞体"后世评述不一，他的书法笔圆体方，外柔内刚，几无一点雕饰或火气，也自成书风，而他的行草书，则几乎是王羲之行草诸帖的嫡传。

赵孟頫

赵体是书法家赵孟頫的书体。赵孟頫是元代初期很有影响的书法家。《元史》本传讲，"孟頫篆籀分隶真行草无不冠绝古今，遂以书名天下"，赞誉很高。据明人宋濂讲，赵氏书法早岁学"妙悟八法，留神古雅"的思陵（即宋高宗赵构）书，中年学"钟繇及羲献诸家"，晚年师法李北海。此外，他还临摹过元魏的定鼎碑及唐虞世南、褚遂良等人的作品，集前代诸家之大成。

苏东坡

苏轼的楷书极少，他的书作与严谨的唐楷大相径庭，不仅字形多向左倾斜，且笔法自然不拘，多带行书意。有人说他的书法腕著而笔卧，故左秀而右枯。黄庭坚为之辩白，说这是以"翰林侍书之绳墨尺度"来看待苏书。也就是说，苏轼并不强调书法的严谨法度，他总是喜欢追求自己的风格，即便楷书也是如此。从墨迹上看，苏书并非"卧笔"，不过是执笔稍偏下，但依然运笔中锋，故有笔圆韵胜之姿。他的行书，更是随行大小，肉丰骨劲，拙中藏巧，兼有颜真卿、杨凝式二家的长处。

王羲之

王羲之的书法作品很丰富，除了《兰亭序》，著名的尚有《官奴帖》《二谢帖》《奉桔帖》《快雪时晴帖》《黄庭经》等。其书法主要特点是平和自然，笔势委婉含蓄，遒美健秀，后人评曰："飘若浮云，矫若惊龙。"王羲之的书法是极美的。

怀素

俗姓钱，永州零陵（今湖南零陵）人，十岁出家为僧。年少时在经禅的空闲之时，就爱好练习书法。那时因为贫穷，没有钱买纸墨，为了练字，他种了一万多棵芭蕉，用蕉叶代纸。由于住处触目都是蕉林，因此他风趣地把住所称为"绿天庵"。他又用漆盘、漆板代纸，勤学精研，把盘、板都写穿了，还写坏了很多笔头，后把它们埋在一起，名为"笔冢"。

【书法故事】

狂人怀素

唐代出现了"狂草"，笔势连绵环绕，字形奇变百出。在草书艺术史上，怀素其人和他的《自叙帖》，一直为书法爱好者谈论了一千二百多年。

怀素性情疏放，锐意草书，却无心修禅，平日里更是喜欢饮酒吃肉，结交名士，与李白、颜真卿等都有交游。他以"狂草"名扬于世。唐代文献中有关怀素的记载甚多。"运笔迅速，如骤雨旋风，飞动圆转，随手万变，而法度具备。"王公名流也都爱结交这个狂僧。唐任华有诗写道："狂僧前日动京华，朝骑王公大人马，暮宿王公大人家。谁不造素屏，谁不涂粉壁。粉壁摇晴光，素屏凝晓霜。待君挥洒兮不可弥忘，骏马迎来坐堂中，金盘盛酒竹叶香。十杯五杯不解意，百杯之后始癫狂……"前人评其狂草继承张旭又有新的发展，谓"以狂继癫"，所以把他二人并称"颠张醉素"，对后世影响极大。

怀素善以中锋笔纯任气势作大草，如"骤雨旋风，声势满堂"，到"忽然绝叫三五声，满壁纵横千万字"的境界。虽然是疾速，但怀素却能于通篇飞草之中，极少失误。是知怀素的狂草，虽率意颠逸，千变万化，终不离魏晋法度。这确实要归功于他的极度苦修。怀素传世的书迹较多，计有《千字文》《清净经》《圣母帖》《藏真帖》《自叙帖》《苦笋帖》《食鱼帖》《四十二章经》等。

国画：留一份空白给想象

【国画其派】

提到世界名画，很多人会不由自主想到《蒙娜丽莎》《向日葵》这些西方作品。其实我们国家有悠久的作画历史，也有丰富的画作，比西方的作品更接近我们的生活和情感。

国画指的是中国画，区别于西洋画而自称。它是用毛笔、墨和中国画颜料，在特制的宣纸或绢上作画。一般来说，国画的题材主要有人物、山水、花鸟，技法可以分为工笔和写意两种。

国画是最能反映中华民族的社会意识和审美情趣的一种艺术，从中可以看出中国人对自然、社会与哲学、宗教、道德、文艺等方面的认识。国画和书画同源，两者都喜欢用流动的线条和相对的空白。要画出好的作品，要求"意存笔先，画尽意在"。国画最强调的就是创制意境，达到形神兼备、气韵生动的效果。

【国画故事】

《鹊华秋色图》

《鹊华秋色图》是文人画中典型的代表，它是赵孟頫凭着记忆画出来的。1295 年，赵孟頫辞去了京城的官职回到了家乡，在文辞书画酬答中结交了不少朋友，周密就是其中的一位。周密是南宋文学家，与赵孟頫以兄弟相称。一天，赵孟頫、周密和几位好友喝酒作诗。席间，大家说起曾经游历

的名山大川，赵孟頫力推济南山水，谈到鹊山和华不注山，一个浑圆敦厚，一个高耸入云，穷尽山之俊美巍峨，使在场的人无一不为之神往，只有周密一人沉默不语。赵孟頫感到很疑惑，问过之后才知道，原来，周密祖籍是山东，1126年金兵南下，北宋旋即灭亡，中原士大夫纷纷南下避难，周密的曾祖父就在那时离开祖籍南迁。周密没有回过自己的故乡，思乡之情与日俱增。

晚上，周密回到家，想到好友对自己家乡的赞美，再联想到自己也许永远也回不了故土，不禁悲伤起来。次日清晨，周密直奔赵孟頫家中，想要诉说自己的思乡之情，可又担心他笑话自己多愁善感，不好意思说出来。最后，在赵孟頫的一再追问下，周密才将心事说了出来，希望赵孟頫能多给他讲讲家乡的山水。听了周密的话，赵孟頫旋即起身，到书房拿出笔墨，对周密说道："想不到周兄对故乡有着如此深切的思念之情，我一定满足周兄的要求，不过言不尽意，唯恐有不详之处，还是把故乡的山水画成画赠予你，或许可以解你思乡之苦。"说罢，赵孟頫提起笔，凭着记忆描画起来，他一边画，一边给周密介绍济南的山水、民俗风情。就这样，被后人誉为"思乡之画"的传世之作《鹊华秋色图》诞生了。

《五牛图》

有一次，在一个天气晴朗的日子里，唐朝中期的画家韩滉带着随从来到郊外田间小道上散步，迎着和煦的春风，站在一片碧绿中间，他的心情十分愉悦。田间，几头耕牛在低头吃草，两三个牧童在嬉戏玩耍，还有一个牧童骑在牛背上吹笛，逍遥自得。远处，可以看见一头耕牛翘首而奔，另有几头耕牛纵趾鸣叫。有的回头舐舌，有的俯首寻草。在开阔的田地里，农夫正在赶牛耕地、翻土。

韩滉看得出神，连忙命随从取出画夹。他全神贯注地绘画，很快绘出了一幅耕牛的图景。后来，又经过一个多月的反复修改，终于绘出状貌各异的五头牛。一头牛在低头慢慢地吃草；一头牛翘首向前狂奔，仿佛是一头撒野的猛兽；一头牛在回顾舐舌，露出一副旁若无人的模样；另一头牛则纵趾而鸣，好像在呼唤着伙伴；还有一头牛在缓步前行，如走向田头，又如刚刚耕地归来，令人回味无穷。整个画面，用笔粗放中带有凝重，显示出农村古朴的风俗。韩滉对这幅画的创作非常满意，给它取名为《五牛图》。

国乐：奏给有心人

【国乐历史】

提到古典音乐，恐怕人人都会想到贝多芬的《命运》、莫扎特的《安魂曲》、柴可夫斯基的《如歌的行板》……难道中国就没有古典音乐？"无丝竹之乱耳，无案牍之劳形"，从刘禹锡的《陋室铭》中就可以看出丝竹音乐是贵族生活中的必需品，如同交响乐在西方贵族中一样。

国乐，指的是中国的传统音乐。中国从先秦开始就有音乐了，礼乐是古人生活中很重要的一部分。

我国传统的乐器有唢呐、笛子、竹箫、琵琶、二胡、古筝等等；著名的作品有《广陵散》《春江花月夜》《二泉映月》

《十面埋伏》等等。其中，《广陵散》最为传奇。

【国乐故事】

《广陵散》

"广陵"是扬州的古称，"散"是操、引乐曲的意思，《广陵散》是一首流行于古代广陵地区的琴曲。它出现于秦、汉时期，到魏晋时期已逐渐成形定稿。随后曾一度流失，后人在明代宫廷的《神奇秘谱》中发现它，再重新整理，才有了我们现在听到的《广陵散》。琴曲的内容据说是讲述战国时期聂政为父报仇，刺杀韩王的故事。

魏晋名士嵇康就曾演奏过这首名曲。那时他因性格孤傲得罪朝廷，惹来杀身之祸，有三千太学生向朝廷请愿，请求赦免嵇康，但朝廷不愿接纳。嵇康要来一架琴，在高高的刑台上，面对成千上万前来为他送行的人们，弹奏了最后的《广陵散》。铮铮的琴声，神秘的曲调，铺天盖地，飘进了每个人的心里。弹毕之后，嵇康从容地引首就戮，时年仅三十九岁。

《高山流水》

《高山流水》是中国十大古曲之一，这首曲子有一个广为流传的故事。

传说先秦的琴师伯牙有一次在荒山野地弹琴，樵夫钟子期听完他的演奏，感叹"巍巍乎志在高山"，后来伯牙又奏了一曲，钟子期说"洋洋乎志在流水"。伯牙惊讶地说道："善哉，子之心而与吾心同。"从此与钟子期成为至交和知己，并且相约明年此时再见。

但是到了第二年，钟子期没有出现。伯牙就去寻找他，没有想到，钟子期已经去世了。伯牙痛失知音，就将心爱的琴摔在钟子期的墓旁，终身不再演奏。而他当年遇见钟子期时弹奏的音乐和这个故事，就被编为了高山流水之曲。

《胡笳十八拍》

《胡笳十八拍》是古乐府琴曲歌辞，共有十八章，所以称为"十八拍"。这首曲子讲的是"文姬归汉"的故事。

汉末战乱中，文学才女蔡文姬流落到南匈奴，长达十二年之久。她十分思念故乡，当曹操派人接她回故乡时，她又不得不离开两个孩子。还乡的喜悦与骨肉分离的痛苦交杂，使她的心情非常矛盾。于是她写下了著名长诗《胡笳十八拍》，叙述了自己一生不幸的遭遇。

琴曲中有《大胡笳》《小胡笳》《胡笳十八拍》琴歌等版本。曲调虽然各有不同，但都反映了蔡文姬思念故乡而又不忍骨肉分离的极端矛盾的痛苦心情。曲子委婉悲伤，撕裂肝肠。

唐代的琴家黄庭兰就是凭借此曲走红的，在琴曲中，文姬移情于声，借用胡笳善于表现思乡哀怨的乐声，融入古琴声调之中，表现出一种幽怨矛盾的情绪，让人听之动容。

昆曲：唱不厌精

【昆曲其派】

昆曲原名"昆山腔"或简称"昆腔"，清朝以来被称为

"昆曲"，现又被称为"昆剧"。昆曲的伴奏乐器以曲笛为主，辅以笙、箫、唢呐等。昆曲最大的特点是抒情性强、动作细腻，歌唱的韵律与舞蹈的节拍结合得巧妙而和谐。

昆曲形成的历史可谓源远流长，它起源于元末的昆山地区，至今已有六百多年的历史。宋、元以来，中国戏曲有南、北之分，同样的戏曲在不同的地方唱法也不一样，比如南曲。元末，顾坚等人把流行于昆山一带的南曲原有腔调加以整理和改进，称之为"昆山腔"，这就是昆曲的雏形。

明朝嘉靖年间，杰出的戏曲家魏良辅对昆山腔的声律和唱法进行了创新，吸取了海盐腔、弋阳腔等南曲的长处，利用昆山腔自身流丽悠远的特点，又吸收了北曲结构严谨的特点，运用北曲的演唱方法，以笛、箫、笙、琵琶的伴奏乐器，造就了一种集南北曲优点于一体，细腻优雅的"水磨调"，通称昆曲。

昆山人梁辰鱼继承魏良辅的成就，对昆腔做了进一步改进。隆庆末年，他编写了第一部昆腔传奇《浣纱记》。这部传奇的上演，扩大了昆腔的影响，文人学士争用昆腔创作传奇，学习昆腔的人越来越多。于是，昆腔遂与余姚腔、海盐腔、弋阳腔并称为"明代四大声腔"。

到万历末年，由于昆班的广泛演出活动，因此昆曲经扬州传入北京、湖南，跃居各腔之首，成为传奇剧本的标准唱腔，"四方歌曲必宗吴门"。明末清初，昆曲又流传到四川、广东等地，发展成为全国性剧种。从此昆曲开始独霸梨园，绵延至今六七百年，成为现今中国乃至世界现存最古老的具有悠久历史的传统的戏曲形态。

【昆剧名段】

牡丹亭·游园

杜丽娘：

【步步娇】袅晴丝吹来闲庭院，摇漾春如线。停半晌整花钿，没揣菱花偷人半面，迤逗的彩云偏。我步香闺怎便把全身现？

春香：

【醉扶归】你道翠生生出落的裙衫儿茜，艳晶晶花簪八宝填。

杜丽娘：可知我常一生儿爱好是天然，恰三春好处无人见。不提防沉鱼落雁鸟惊喧，则怕的羞花闭月花愁颤。

杜丽娘：春香，不到园林，怎知春色如许！

【皂罗袍】原来姹紫嫣红开遍，似这般都付与断井颓垣。良辰美景奈何天，赏心乐事谁家院！（白）恁般景致，我老爷和奶奶再不提起（合）。朝飞暮卷，云霞翠轩，雨丝风片，烟波画船。——锦屏人忒看的这韶光贱！

春香：是花都开，那牡丹花还早。

杜丽娘：

【好姐姐】遍青山啼红了杜鹃，那荼蘼外烟丝醉软。那牡丹虽好，他春归怎占的先！闲凝眄，生生燕语明如翦，呖呖莺歌溜的圆。

黄梅戏：方言唱腔

【黄梅戏其派】

很多戏曲都是从民间而来，因此带有浓厚的民间特色。方言是最地道的民间产物，而黄梅戏中就有很浓厚的方言特色。唱一曲黄梅戏，会越来越接近安徽的风味。

黄梅戏原名"黄梅调"，是18世纪后期在皖、鄂、赣三省毗邻地区形成的一种民间小戏。其中一支逐渐东移到以安徽省安庆市为中心的安庆地区，与当地民间艺术相结合，用当地语言歌唱、说白，形成了自己的特色，被称为"怀腔"或"黄梅调"，这就是今日黄梅戏的前身。在民国十年（1921）出版的《宿松县志》中，第一次正式提出"黄梅戏"这个名称。

《女驸马》是一部极富传奇色彩的古装戏，也是黄梅戏中的经典之作。

妙州知府冯小卿的女儿冯素珍才貌双全，引来很多王公大臣的公子前来比武招亲。天香公主化名"闻臭公子"，参加比武，打败了侯爷公子东方胜和相爷公子刘长赢，成全了冯素珍和她的心上人李兆廷。

太监总管王公公设计陷害李兆廷，逼迫他写血书退婚。东方胜趁机向皇帝讨来赐婚的圣旨，想要在三日后与冯素珍成亲。冯素珍不从，吃了乞丐老太太给的"喜饼"后假装死去。李兆廷闻讯赶来哭灵，伤心欲绝。冯素珍为了惩治这帮仗势作乱的人，女扮男装来到京城，化名冯绍民参加科考，高中状元，开始了仕途生涯。

　　与此同时，皇帝把宰相的女儿刘倩许配给李兆廷。之后朝中发生政变，国师迫使皇帝退位。在和国师的激斗中，宰相女儿刘倩战死。临终前，她无意中说出了冯绍民就是冯素珍的秘密。皇帝把冯素珍和李兆廷二人打入死牢，行刑前，皇帝突然驾崩。太子继位，赦免了冯素珍和李兆廷。经过一番波折，冯素珍与李兆廷有情人终成眷属。

【黄梅戏名段】

天仙配

（七女）树上的鸟儿成双对，

（董永）绿水青山带笑颜。

（七女）随手摘下花一朵，

（董永）我与娘子戴发间。

（七女）从今不再受那奴役苦，

（董永）夫妻双双把家还。

（七女）你耕田来我织布，

（董永）我挑水来你浇园。

（七女）寒窑虽破能避风雨，

（董永）夫妻恩爱苦也甜。

（七女、董永）你我好比鸳鸯鸟，比翼双飞在人间。

女驸马

李兆庭：父遭陷害回乡来，

三间茅屋避祸灾。

贫归故里无人问，

缺衣少食苦难挨。

果腹充饥靠野菜，

落叶添薪仰古槐。

大荒年奉母命前来借贷，

早知你家嫌贫，

我宁愿饿死也不来。

冯素珍：李郎休要把气生，

且莫说宁愿饿死不上门。

虽然是二爹娘心肠太狠，

也不能抛却了小妹待你一片真情！

李兆庭：正因为丢不开贤妹的恩和爱，

与你父两相争我不愿退婚。

怕只怕好姻缘要成泡影。

冯素珍：生生死死不变心，

生生死死决不变心！

清风明月作见证，

分开一对玉麒麟。

这只麒麟交与你，

这只麒麟留在身。

麒麟成双人成对，

三心二意天不容。

李兆庭：双手接过玉麒麟，

见物犹如见真心。

冯素珍：还有纹银一百两，

相助李郎上京求名。

李兆庭：今日一别何时会？

冯素珍：天南地北一条心。

李兆庭：劝贤妹平日少把绣楼下，

免得你那狠心的继母来欺凌。

冯素珍：舍不得来也要舍。

李兆庭：分不得来也要分。

两人合：这才是流泪眼观流泪眼。

冯素珍：断肠人送断肠人。

李兆庭：断肠人送断肠人，断肠人送断肠人。

秦腔：高原天籁

【秦腔其派】

　　秦腔，陕西省地方戏，也叫"陕西梆子"，是最早的梆子腔，约形成于明代中期。秦腔唱腔为板式变化体，分欢音、苦音两种，前者长于表现欢快、喜悦情绪；后者善于抒发悲愤、凄凉情感。依剧中情节和人物需要选择使用，剧目有《蝴蝶杯》《三滴血》等。

　　《三滴血》的主人公周人瑞是山西五台县人，在陕西韩城县（今韩城市）经商。他的妻子在生下一对孪生儿子后死去。周人瑞无力抚养，便请邻居王妈妈将次子卖给了李三娘，取名李遇春。留下长子托王妈妈乳育，取名周天佑。

　　周人瑞因生意倒闭，携天佑回乡。周人瑞的弟弟周人祥夫妇为独霸家产，不承认天佑是周人瑞的亲生儿子，因此涉讼公堂。县令晋信书是一个死啃书本的腐儒，听闻过"陈业滴血认亲"，便用此法来断案。他见周人瑞父子滴血入水不

相融合，即错断其二人并非亲生父子，勒令押解天佑出境，自行归宗。

遇春在李三娘的抚养下长大成人，与李三娘亲生女儿晚春以姐弟相称，感情非常好。李三娘有意要遇春继承门户，就假称女儿晚春是自己的养女，欲与遇春婚配。但是两人尚未成婚，李三娘就病逝了。土豪阮自用垂涎晚春已久，捏造庚帖，趁机前来诈婚，挑起讼端。还是晋信书审理此案。晋信书仍用滴血认亲的方法，见二人血液融合，误断二人是同母所生不能成婚，判晚春与阮自用成亲。洞房之夜，晚春施计灌醉阮自用，趁机逃走。

周天佑被押送出境，又找不到父亲，就前往五台山进香求签。途中见一猛虎追踪少女贾莲香，便舍命相救。二人情投意合，由贾莲香父母许婚，结为夫妻。李遇春得知晚春逃走，便四处去寻找。他与周天佑相遇，二人惊讶于相貌的相似，交谈之后，结为金兰之好。时值瓦剌犯境，攻破边关，二人同去从军，因功得官。王妈妈也离家追寻李遇春、晚春踪迹，途中与落魄的周人瑞相遇，得知彼此都遭遇了滴血认亲而拆散亲人的命运，商定同做人证，前往五台县质问晋信书。晋信书为了证明滴血认亲的方法是对的，又传周人祥父子到堂试验，不料血液不融，晋信书无言以对。正在此时，旗牌官报告大帅接受周天佑和李遇春二人的请求，以晋信书错判官司为由将其提到大营问罪。晚春与莲香先后赶到，父子、夫妻终于团聚。

【秦腔名段】

王宝钏

我离了相府奔城南，寒窑里去看儿宝钏，

行来至鸿沟用目看，见一位妇人化纸钱，

她头上缺少帕儿苦，身穿一领布丁衫，

腰系罗裙少半片，足下的绣鞋露指尖，

前容儿不曾看得见，后影好似儿宝钏，

我二老双双都在世，儿与何人化纸钱？

是是是来明白了，因平贵命丧西凉川，

丞相家女儿识大理，妻与夫化钱理当然。

我一步来得迟罢了，我儿回上寒窑院。

观寒窑只有四堵墙，想要看天站厅堂，

下无砖瓦上无梁，到晚来还能见月亮，

怪道来奴才不回转，他为的冬暖夏又凉，

叫家院上前去叩门，你就说来了年迈人。

第八章

佛与道的信仰

佛是一个觉悟的人

【佛教其派】

"阿弥陀佛"是一句很奇怪的中国话，它和很多词不一样，单个拆开来就无法解释每个字的意思了。因为，这句话来自梵语，和西方人说"上帝保佑"一个意思，不过梵语中没有上帝，只有佛祖。那么，梵语是哪里的语言呢？

公元前6世纪到公元前5世纪之间，在我国正是孔子出生的时间，而在喜马拉雅山南麓的古印度迦毗罗卫国，也就是今天的尼泊尔，传说那里的王子乔达摩悉达多创造了佛教。因为王子属于释迦族，所以人们又称他为"释迦牟尼"，"牟尼"就是圣人的意思。

从此以后，佛教广泛流传于亚洲的许多国家，成为与基督教、伊斯兰教并称的世界三大宗教。早在东汉时，佛教就自西向东传入了我国，随着朝代的更迭和传统思想的发展，渐渐融入我国，成为中国人生活中的一部分。

那么什么是"佛"？佛学专家林世敏教授说，佛是一个理智、情感和能力都同时达到最圆满境地的人格。换句话说，佛是大智、大悲与大能的人。与其他宗教不同的是，佛不是万能，不能让信仰他的人解脱，只能教导信仰佛的人，最终，佛教徒还是要凭自己的努力才走出了困境。佛就是一个觉悟的人，他的智慧也可以让我们觉悟。

不过对佛教的理解，很多人的看法不同，佛教内部也发生了很多的分歧，分不同的派别。北京的雍和宫又叫作喇嘛

庙，就是藏传佛教的寺庙。八大宗派分别是大乘的天台宗、三论宗、唯识宗、华严宗、律宗、密宗、禅宗及净土宗，还有小乘的俱舍、成实二宗，这是一般盛行的十大宗派。

佛教并不排斥别的宗教，它具有容纳的精神。因此也可以说所有的佛教派别其实是一体的。

【佛教传入中国】

东汉明帝永平十年，也就是公元 67 年，佛教正式由官方传入中国。其中还有一段故事。

有一天，明帝晚上梦见金人在殿庭中飞行，第二天早晨，明帝问群臣这个梦有什么含义。这时太史傅毅回答说：西方有一个大圣人，他的名字叫佛。陛下所梦见的金人，恐怕就是他。于是，皇帝就派遣十八个人去西域求佛。

出使西域的人，用白马驮着两卷经书返回了洛阳。明帝特为这两卷经书建立了精舍，并让西域的法师住在里面，称作白马寺。在白马寺里面，摩腾与竺法兰译出了《四十二章经》。

佛教传入中国后，到了后汉末叶，记载才逐渐翔实，史料也逐渐丰富。西域的佛教学者相继来到中国，如安世高、安玄从安息来，支娄迦谶、支曜从月氏来，竺佛朔从天竺来，康孟详从康居来。从此翻译佛经的人越来越多，法事也越来越兴旺了。

但是又有一种说法，佛教在中国的始祖是菩提达摩，达摩大师是印度佛教第二十八代祖师，所以佛教在中国又称为"达摩宗"。

达摩祖师是在北魏末期，也就是公元 500 年以后的那段时间里，在洛阳传教，以《楞伽经》授徒。相传他的传法弟子是慧可，慧可的传法弟子是僧璨，四传弟子是道信，然后到五祖弘忍，创立了东山法门，以上的这五位就是"禅宗五祖"。

在禅宗的弟子中，六祖慧能是门派的发扬光大者，慧能以后，禅宗广为流传，于唐末五代时达于极盛。禅宗使中国佛教发展到了顶峰，对中国古文化的发展具有重大影响。

《六祖坛经》：直通现代心灵的佛法

【《六祖坛经》其书】

《六祖坛经》是中国佛教禅宗的典籍，也称《六祖大师法宝坛经》，简称为《坛经》。慧能是佛学的传播者，他有很多精辟的解释，让人能够体会到佛的含义，所以他的弟子法海就将这些言语集录成集。这本书在宋辽时期就成为佛学中的经典了。

《坛经》记载了慧能法师一生得法传宗的事迹，还有他启导门徒的言教，内容丰富，文字通俗。他说每一个人都能成佛，"菩提自性，本来清净，但用此心，直了成佛"。如何来成佛呢？就要"无念为宗，无相为体，无住为本"。无念就是在任何环境下都内心安宁；无相就是不为各种假象迷惑；无住就是不要停留于经书上。惠能提出了"顿悟说"，认为人可以在一念之间成为佛，但是这种顿悟不是灵光一闪，而是在经过长时间的参悟佛经，有了深厚的佛学思想以后，才能有这种顿悟的机会。《坛经》中的思想，对禅宗的

发展起到了重要作用。中国佛教中有被尊称为"经"的著作，只有这一部。

【《六祖坛经》名句】

菩提自性，本来清净，但用此心，直了成佛。

解读：佛的内在是一颗清净的心灵，只要心灵清净，就能悟到佛。

人虽有南北，佛性本无南北。

解读：人有南北的差别，南方人和北方人就不一样；但是佛没有南北的差别，在本质上是一样的。

欲学无上菩提，不得轻于初学。

解读：要想学得高深的佛法，就要重视基础，也不要因为初学就感到迷惑无望。

菩提本无树，明镜亦非台。本来无一物，何处惹尘埃。

解读：菩提原本就没有树，明亮的镜子也并不是台。本来就虚无一物，哪里会染上什么尘埃？

【《六祖坛经》故事】

菩提本无树

南北朝时，佛教禅宗第五祖弘忍大师在湖北的黄梅开坛讲学，有五百余人去听讲，其中大弟子神秀最有威望，被推为禅宗衣钵的继承人。弘忍想要在众多弟子中寻找一个继承人，所以他就出了一个题目。

弘忍对徒弟们说，大家比作诗吧，谁作得好谁就来当我的继承人。神秀很想继承衣钵，但又怕自己积极作诗，违背了佛家无为而作的意境，所以他就半夜起来，在院墙上写了一首诗："身是菩提树，心为明镜台。时时勤拂拭，勿使惹尘埃。"

这首诗的意思是，要时时刻刻地去照顾自己的心灵和心境，通过不断的修行来提高自己的觉悟。第二天早上，大家在看到这首诗的时候，都交口称赞，但是师傅弘忍没有做任何评价。

这首诗被厨房里的一个火头僧慧能禅师听到了，慧能不识字，就请人带他去看墙上的诗，听完之后，慧能说："这个人还没有领悟到真谛啊！"然后说出自己的理解，请人写在神秀的诗旁边："菩提本无树，明镜亦非台。本来无一物，何处惹尘埃。"

慧能的诗很契合禅宗顿悟的理念，他看到世上本来就是空的，心也是空的，既然如此，任何事物从心中过，都不会留下痕迹，为什么还要"时时勤拂拭"呢？这是禅宗一种很高的境界，能领略到这层境界的人，就是所谓的"开悟之人"。

弘忍看到新作的诗之后，非常高兴，就在慧能的头上打了三下走了。慧能理解了五祖的意思，在晚上三更的时候去了弘忍的禅房。在那里，弘忍向他讲解了《金刚经》，并传了衣钵给他。为了防止神秀不服，弘忍让慧能连夜逃走。于是慧能就连夜远走南方，在福建莆田的少林寺创立了南宗。而神秀成为梁朝的护国法师，创立了北宗。

唐三藏：一个孤独的求真者

【玄奘其人】

　　小说的创作大都是小说家根据现实生活改编而来的，四大名著当中的《西游记》，就是根据唐朝的玄奘法师西天取经的历史，加上作者的想象而著成的。从《西游记》中，我们知道玄奘他们师徒几个经过了九九八十一难，才到达西天取回了真经。虽然里面有很多都是天马行空的想象，但玄奘确有其人，就是我们常说的唐三藏。

　　我们常说玄奘就是唐三藏，但是三藏在佛教中，指的是三种形式的典籍：经藏是佛说的佛经，律藏是戒律，论藏是后来的弟子们用来著书立说、解释佛经及戒律等的著作。只要精通了经藏、律藏、论藏的人，都可以被称为"三藏法师"，除玄奘，中国的三藏法师还有很多，例如鸠摩罗什等。因此三藏法师是对精通此三藏者的尊称，而不是一个人的法号或名字。

　　玄奘是唐代高僧，出家之前叫作陈祎，他熟知当时所有的佛教圣典，是我国杰出的译经专家。

　　有记载说玄奘的长兄也是法师，他自幼从兄诵习经典，同时也熟悉儒道百家的典籍。隋朝的官员郑善果在洛阳时，遇见玄奘，见他年纪虽小，但是对答出众，于是破格录用了他。

　　隋唐交替之际，天下大乱，玄奘就流转于各地，走遍了大半个中国。到了唐朝之后，他仍然钻研佛法。当时对于佛有很多解释，有时候会互相矛盾，玄奘为了弄清真相，决定去西天取经。

【西行故事】

虽然说玄奘西行没有像《西游记》那样遇到真的妖魔鬼怪，但是对于交通不发达、气候变化大、语言又不通的那个年代来说，要去印度也是一件非常困难的事情。

贞观二年（628）正月，玄奘先到达了新疆吐鲁番，受到高昌王的礼遇，并结为兄弟。后经过新疆库车、碎叶城、塔什干、葱岭，到达货罗国的故地，在今天的葱岭西一带。之后南下经阿富汗、大雪山、巴基斯坦，到达迦湿弥罗国。在那里拜师学习了一些佛学，与那里的高僧讨论佛学，前后共两年。

学有所成之后，他到印度北部学《对法论》《显宗论》，贞观五年（631）时，终于抵达了佛教圣地摩揭陀国的那烂陀寺，开始在那里学习。

玄奘在那烂陀寺学习了五年，受到优遇，并被选为通晓三藏的十位高僧之一。

贞观十年（636），玄奘离开那烂陀寺，先后到印度北部蒙吉尔、印度东海岸、克什米尔等地，访师参学。他在钵伐多国停留了两年，然后重返那烂陀寺。玄奘在那里开始写了一些佛经，并参与整理佛经，但是这些典籍都没有传下来。

虽然在异国他乡，但是玄奘也能开坛讲论，他任人提问，但没有一个人能难倒玄奘。玄奘顿时名扬海内外，并被大乘尊为"大乘天"，被小乘尊为"解脱天"。玄奘参加了五年一度、历时两个多月的无遮大会，在参加完盛会之后回到了大唐。

【大唐讲法】

贞观十九年（645）正月，在告别了家乡十七年之后，玄奘回到了长安。据史料记载，当时"道俗奔迎，倾都罢市"，所有的人都争相去迎接这位德高望重的大师。不久，唐太宗接见了玄奘，并劝他还俗出仕，入朝为官。但是玄奘婉言辞谢了唐太宗的好意。

之后玄奘留在长安的弘福寺，翻译经书，他的工作由朝廷出资来支持，并召集了各地的名僧二十多人，帮助翻译工作，成果有《大菩萨藏经》二十卷。

后来，玄奘又陆陆续续翻译了很多佛经，同时也奉皇帝之命，将《老子》《大乘起信论》等中国的典籍翻译成梵文，传到印度。朝廷为玄奘建造了大慈恩寺，他任住持，悉心从事翻译佛经的工作。

为了避开俗世的烦扰，玄奘迁居玉华宫，致力译经，在那里翻译了《大般若经》。玄奘在翻译的时候非常严谨，面对卷帙浩繁的经书，也没有删减一字。由于翻译工作繁重，玄奘在六十二岁时去世。玄奘前后共译经论七十五部，为后世留下了重要的佛学典籍。

回归自然的道

【道教略说】

中国原先是一个多神崇拜的国家，上到玉皇大帝，下到灶王老爷，被老百姓奉为神灵的对象不计其数。不过中国的宗教中有规模、形成气候的不多，道教就是其中之一。

道教产生于东汉时期，它的名称，一方面是起于古代的神道之说，另一方面起于《老子》的道论。道家的哲学思想最早可以追溯到老庄，因此道教奉老子为教主。但我们要弄清楚，道教与道家是两个概念：道家所讲的道学不是宗教，也不主张立教派。

《老子》是道家思想的源流，一般认为，道教的第一部经典是《太平经》，完成于东汉。东汉末年，太平道和五斗米道出现，这可以算作是道教的第一次有组织的活动，而《太平经》《周易参同契》《老子想尔注》三书是道教信仰和理论形成的标志。道教的教义中虽然有道学的成分，但是道教并不足以代表道学，也不足以传达老庄思想，因此要区别开道教和道家。

道教的教义就是以"道"或"道德"为核心，认为天地万物都由"道"而生，即所谓"一生二，二生三，三生万物"的思想，社会和人生都应回归自然。

道教沿袭了中国古代崇拜日月星辰、河海山岳以及祖先亡灵的信仰习惯，是一个多神崇拜的宗教。神仙是道教的"偶像"，得道的人，才能够长生不老，得道飞升。无极、元极、太极、中庸、这些都是"道"的含义，也就是我们所说的中庸之道。

【道士和居士】

道教徒分为两种：一种是神职教徒，也就是道士。（按地域来分的话，可以分为茅山道士、罗浮道士等。从学派来说，又可以分为正一道士、全真道士等。按道观中的教务，可以分为当家、殿主、知客等。）另一种是一般教徒，称为居士或信徒。不论是道士还是居士，他们主要在宫观中修道、祀神和举行仪式。道教也有一些副业，如素食部、茶厂、道学班、道教经学班、安老院、施诊给药部等。

少林和尚练拳脚，道观里的道士练道术，来达到像"神仙"一样长生不老的目的。道术包括外丹、内丹、服食等内容。外丹就是指用丹炉或鼎烧炼丹药，以求长生不老；内丹就是用人体作为炉鼎，使精气神在体内凝结成丹而达到长生不死的目的；服食就是指通过服食药物以求长生。其中，内丹对中国的医学和养生学有过很大的影响。

【洛阳上清宫】

位于河南洛阳城北邙山翠云峰的洛阳上清宫，是中国道教第一宫，相传为太上老君炼丹之处。这座道观始建于唐玄宗开元年间，是一座青砖庙院，紧凑幽静。那里山势险峻，树木郁郁葱葱，苍翠若云，风景秀丽，很多道士都曾在那儿修炼。

唐乾追尊老子李耳为玄元皇帝，于是诏令两京（洛阳、长安）诸州要建造庙宫祭祀，因而上清宫又叫玄元皇帝庙，后人又追尊老子为太上老君，所以也称老君庙。

诗人杜甫曾经登上玄元皇帝庙，写出"山河扶绣户，日月近雕梁"的佳作，著名的画家吴道子也曾在那里绘了《五圣千官图》，宋代苏东坡曾在那里刻石题句。上清宫可以说是一处文化悠久的遗迹。

不食人间烟火的神仙

【方仙道】

任何事物都有兴衰的规律，就像烟花升空、爆炸、然后熄灭一样，最辉煌的顶点也就是衰落的起点。道教的发展经历了一个曲折的过程，它的变化，也可以看作是中国思想的变化。

现存的甲骨文，就是古代先民向上天询问丰收、凶吉的祝词。那时候，人们认为神明的存在既为保护众生，也是为监督人类的生活。如果帝王做得不好，就会天降大祸来惩罚人民；当遇到干旱和洪水的时候，人类又可以通过祈求神明来得到帮助。

古代有一种职业，是专门沟通鬼神和人类的巫祝。巫就是用歌舞来取悦神明或者降服妖怪，并有一套符咒驱鬼的巫术；祝就是用言辞来歌颂神灵，由专门的司仪来写，司仪在祭祀的时候就会写一篇文章，感谢神明，祈求保护。

这种巫祝可以说是道士的前身。道教做法事，与古人的祭祀礼仪和礼制有密切的联系。道教继承了古代宗教的一些方式。

在《山海经》中，有刑天、女娲这样的人物，就是最早的神仙。《山海经》这部奇书提出了长生信仰，记载了祭祀的祀礼及奇异的方术。

到了战国时期，出现了许多记载神仙传说的著作，其中有不少关于仙人、仙境、仙药等的传说。《庄子·逍遥游》

中有"藐姑射之山，有神人居焉，肌肤若冰雪，绰约若处子，不食五谷，吸风饮露，乘云气，御风龙，而游乎四海之外"。如《列子》中将仙境描绘得美妙而神秘，仙人不为物累、超脱自在，是能腾云飞行的神奇人物。汉代的《淮南子》《史记》中亦有类似描述，这是神仙的发展。

正因为神仙可以享受美妙的生活，又不担心死亡，所以寻求仙境、仙人、传布成仙之方的人就出现了。他们将神仙学说与阴阳五行糅合起来，形成了"方仙道"，流行于燕齐的上层社会。齐威王、齐宣王、燕昭王、秦始皇、汉武帝等，都曾派人到海上三神山寻求神仙及不死药，并且规模越来越大，传说，秦皇岛就是在寻仙的时候发现的。

【道教兴衰】

汉武帝后，方仙道与黄老结合，转向黄老道，也就是今天的道教。

在魏晋南北朝时期，有很多名人信奉道教，并且炼丹求药。著名的人物就有葛洪，他也是当时的大文学家和思想家，他炼长生不老药的做法，对当时的影响很大。出于对衰老和死亡的恐惧，越来越多的人加入这支寻找神仙的队伍当中。

相传唐初时，有个叫吉善行的人，遇见一位白发苍苍、骑着白马的老人。老人让他转告大唐天子，如今治国有方，只要在长安城东建一座安化宫，内设道像，就能永保社稷，天下太平，说完便腾空而去。不久老人再次显灵，声称是天上神仙，姓李号老君，就是皇帝李氏的祖先。

从此，李唐皇室自称是老子的后裔，尊老子为"圣祖"。于是尊道在唐朝成为国家大事，连大诗人李白也是一个热衷于炼丹的道士。武则天时期曾经偏爱佛，但是后来又回到了尊道上。后来宋朝皇帝也仿效唐朝做法，虚构一位姓赵祖先"赵玄郎"，奉为道教尊神，尊为"圣祖"。道教在唐宋皇室的尊崇下，宫观大兴，信徒也增加了，道教的发展到达极盛。在随后的历史时期，但凡社会动荡，各种宗教就会兴起，道教就是其中之一。

张三丰：说不清的邋遢真人

【张三丰其人】

张三丰这个名字对我们来说并不陌生，关于他的影视剧有很多。历史上确有其人，他是道教历史上比较受关注的人物之一。了解张三丰，也可以看成是对道教在一个时期的发展情况的学习。

南宋末年，宗教界爆发了中国历史上规模最大的一次佛道大辩论。蒙古大汗亲临主持，嵩山少林寺长老福裕和全真教道长张志敬，率队参加了这场舌战，结果却是道教惨败。按照先前的约定，全真数十部经书被烧毁，数百座道观也输给了佛教。从此，道教走上了下坡路，昔日的风光不再。但是一百年以后，出现了一个扭转局势的人物，他就是张三丰。张三丰在武当山创立门派，成为武当武功的创始人，也让道教风光了一回。

张三丰有很多名号，但是最有名的还是"张邋遢"，他本人也自称"邋遢道人"。历史上说张三丰魁伟的体形如龟似鹤，两耳垂悬，硬长的眉毛下镶嵌着一双大大的圆眼睛。

无论春夏秋冬，他总是穿着一件破烂衣服，披着一件蓑衣。

据历史记载，张三丰在家里排行老五。他在五岁那年患了眼病，双目失明了。后来遇到一位道长，见他仙风道骨，就以治好他的眼病为条件，让张母同意他跟着长老做弟子。调养半年之后，张三丰的眼睛复明。母亲年事已高，三丰还俗回家。后来他参加了朝廷的官员选拔，得到宰相廉希宪的赏识，因此被任命为县令。但是他上任才一年，因父母双亡，就离开了官场，潜心修道，遁入玄门。

【武当绝技】

张三丰在道教历史上较大的贡献，一是创立了三丰派，让道教大兴；二是创立了武当武功。

少林功夫、武当绝技，是武学中的两颗明珠。张三丰创造了武当绝技，有人说是张三丰夜晚梦见真武神君降临，向他传授拳法。第二天，张三丰被一群强盗围住，便运用神授拳打败了强盗。也有人说是他观察鸟蛇斗的启示，还有人说他是脱胎于少林拳。

传说华佗模仿动物创造了"五禽戏"，武术中的猴拳、鹰爪功也是模仿动物；而少林的五拳十八式，张三丰是略有所知的，当他发现少林功夫的奔腾跳跃容易为人所乘，于是就对它加以改造，以静制动，所以武当的功夫很有可能是由这两种渠道综合而来的。

张三丰创立的内家拳技有太极拳、八卦拳、形意拳、五行拳、纯阳拳、混元拳、玄武棍等，这些名称和路数，都是从道教经书中引申而来的。内家拳派别林立，但都奉张三丰为祖师。他们的拳技有着共同的特征：注重内功，阴阳变化，动作沉稳，姿势含蓄，劲力浑厚，神意悠然，讲求意、气、力的协调统一。看一套太极的动作，我们就能领会到所谓的阴阳五行等思想在养生和武功上的体现。也有人说，内家拳的"十段锦"是由张三丰加工改造的宋元道士"八段锦"而来的。

【张三丰故事】

作为一个"真人"，张三丰的死有很多神奇色彩，据说他一生中死过好几次。

第一次是张三丰隐修在太原的南峪山中时，服气辟谷，几个月也不见他烧火做饭。有一天，他突然病入膏肓，向村民讨一个大缸，并嘱咐待他死后，用缸装好尸体放在南峪山上。不久，张三丰真的一命呜呼了，村民按照他的吩咐处理了后事，但后来又有村民在西安遇见了他。

第二次是元朝末年，张三丰在宝鸡金台观。一天，他对弟子说："我命数已尽，归天有期。"然后就闭气了。弟子把尸体装进棺材，但就在安葬时，他又活过来了。

第三次在武当山，他死后再也没有出现过，人们认为这一次他是真的去世了。后世也有人自称是张三丰转世，不足信。

第九章

诗意的中国式生活

四合院，团团圆圆才是家

【四合院建筑】

对很多人来说，四合院都是一个比较遥远的概念了。就算是北京人也多数都搬进了公寓和小区。但是四合院的形式和故事，还是流传了下来，并且成为中国建筑史上的一页，供后人翻阅。

开门见到正房，左右是东西厢房，围成了一个庭院，这样的住宅就叫作四合院。四合院是汉族典型的民居，从西周时候起，这种形式就已初具规模，如今算来已经有三千多年的历史了。

在我国的山西、陕西、北京、河北，民宅基本上都是四合院，而在北京城大大小小的胡同中，布局讲究的四合院就最有名，很多游客到了北京，都要去看一看四合院。

四合院的大门一般开在东南角或西北角，而不是正中间；院中的北房是正房，正房一般都有砖石砌成的台基，比其他房屋的规模大的，是主人的住室；院子的两边有东西厢房，是晚辈们居住的地方；正房和厢房之间有走廊，供人行走和休息；四合院的围墙和临街的房屋一般不对外开窗，这样就显得院中的环境封闭而幽静。一般的家庭中，也就是老爷、太太住北房，长子和媳妇住西厢房，女儿住北房西边的耳房，东厢房作厨房兼饭厅，南房作客厅或书房，也可以给仆人或其他子女住。院子里种着丁香、石榴，还有蔬菜花草以及枣树，院外是槐树。

最简单的四合院只有一个院子，比较复杂的有两三个院

子，富贵人家居住的深宅大院，通常是由好几座四合院并列组成的。外观规矩、中线对称是四合院的典型特征，可以说紫禁城就是一个规模庞大的四合院。

别看四合院的布局一目了然，其中有很多传统的观点。比如，四合院的营建极讲究风水，它的装修、雕饰、彩绘也处处体现着民俗、民风和传统文化，以蝙蝠、寿字组成的图案，寓意"福寿双全"，以花瓶内安插月季花的图案寓意"四季平安"，而嵌于门簪、门头上的吉祥话，悬挂在室内的书画佳作，更是集贤哲古训，采古今名句，风雅备至，有如一座中国传统文化的殿堂。

【四合院的劫难】

有一段时期，很多四合院成了空房子，而从别的地方来的人就成了这些房子的新主人，一个原来供一大家住宿的四合院，变成了住着十几家的大杂院，一个原来完整的房子便被隔开，这个时期，四合院失去了往日的风采，而在建设大都市的时候，也有很多四合院被相继拆掉了。

苏州园林：处处有景，面面生诗

【苏州园林略说】

上有天堂，下有苏杭。苏杭的美，是烟雨蒙蒙中的情意，柳眉杏眼的女子，小桥流水的巷陌，还有欲说还休一样的庭院。北方的美大气而粗犷，如同大饼卷大葱的滋味；而南方的美细腻而柔情，如同一碗淡粥中的花样，品来别有情趣。

南方的建筑有很多种，但最能代表南方建筑特点的，就是苏州古典园林。有记载的私家园林出现在东晋，之后历代造园兴盛，有"钱塘自古繁华"为证的苏杭，到了明清时期，发展成为大都市，聚集了众多名流雅士，那时候的私家园林也就遍布了古城内外，有名的园林就有两百余处。这"人间天堂"的美誉，与它处处园林处处景是分不开的。

苏州园林意境深邃、构筑精致、艺术高雅，身居其中自然而然就能感受到含蓄、内敛、庄重的美，与故宫的盛气凌人是完全不同的。乾隆皇帝几次游江南，深爱江南园林之美，就命人将御花园也修建成南方园林的样式，所以今天在北方的名胜古迹当中，也可以体会到苏州园林的味道。

在苏州园林中，借景和对景被大量地运用，这种设计是整个园林的灵魂。

"步移景异"，也就是说在不同的地方要有不同的景色，空间是有限的，但是要完美地再现外面的繁华世界。园内亭台楼榭、游廊小径蜿蜒其间，格子窗就是一幅画框，自然被定格在窗棂之中。

借景，就是把园外的美景，通过精心选择和剪裁之后，收纳到园林中来；或用一处景致映衬另一处景致，为互借。借景创造了更深的层次，而且还极大地扩展了欣赏者的空间感受。比如，在拙政园的"倚虹亭"，能看到园外的北寺塔；在沧浪亭的花窗中，能欣赏到屋外的竹林，这都是借景。

【苏州名园】

拙政园

拙政园，是苏州园林中面积最大的古典山水园林，是江

南园林中毫无悬念的代表者。它最初是唐代诗人陆龟蒙的园子，元朝时成为大弘（宏）寺，明代时成为大臣王献臣归隐苏州时的别墅，曾聘用文徵明参与设计，经过了十六年才完成改建，取名叫拙政园。拙政园名字的来历，是借用西晋文人潘岳《闲居赋》中"拙者之为政也"之句。这是主人暗喻自己，把浇园种菜作为拙者之"政"。

建成不久，王献臣就去世了，其子在一夜豪赌中，输了整个园子。就这样，拙政园几易其主，并且曾一分为三，直到1949年，才得以合一，恢复初名"拙政园"。拙政园分为东、中、西和住宅四个部分。现有的建筑大多是清咸丰十年（1860）时建的，至今也有一百五十年历史了。

去拙政园赏景，最主要的景区就在中间。这里以水池为中心，亭台楼阁临水而建，宛如江南水乡的边镇。池边有茂盛的花木，景致主次分明，有明代园林的浑厚、疏朗。水池南岸的假山之外，另有一个池塘遍植荷花，水岸藤萝纷披，山岛林荫宜人，时有小桥飞过，一到夏天，可以从不同的角度来赏荷。

拙政园的中园有很多景致都是以荷命名的，当年王献臣在修建之时，就想以荷花来表达他孤高不群的品格，"出淤泥而不染，濯清涟而不妖""可远观而不可亵玩焉"。此外，中部还有微观楼、玉兰堂、见山楼、枇杷园等景点可赏。

西部原为"补园"，在乾隆后形成工巧、造作的特点。西部的主要建筑是靠近住宅一侧的三十六鸳鸯馆，这里是当时主人宴请宾客、听曲之地，三十六鸳鸯馆形如曲尺，台馆分峙，装饰精美。在这里听曲聚会，即使人员众多也能相互招呼，其乐融融。东部原称"归田园居"，但是早已荒芜，

现有的部分都是后来重建的。

拙政园以水为主，以池为心，楼阁轩榭环绕，园内有山石古木、绿竹花卉，构成了一幅幽远宁静的画面。整个园林建筑仿佛是浮在水面上的仙境，春日繁花新笋，夏日荷影蕉廊，秋日红蓼芦塘，冬日梅影雪月，四时宜人，面面生诗，不愧是"天下园林之母"。

酒：杯中的浪漫梦想

【酒的历史】

古往今来，几乎没有一个文人不爱酒，就算是不写诗的樵夫、渔夫，也喜欢在江边舟上豪饮。

"对酒当歌，人生几何？譬如朝露，去日苦多。慨当以慷，忧思难忘。何以解忧，唯有杜康。"这首《短歌行》中的酒，出现在三国时期，但是酒出现的年代，要比曹操早得多。

传说在周朝时期，有一个叫作杜康的人，为了储存粮食，就将稻米封存在了一棵中空的大树树干中。后来有一天，杜康到山上去放羊，看到羊舔了装粮食的大树，就倒在了地上。后来他自己也去树下，闻到一股奇香，就忍不住也尝了一点树干上渗出来的水，味道美妙无比，自己也酩酊大醉。后来，杜康就发明了酒。

酒是用人们的主食稻米发酵制成的，做了酒的粮食就成了糟粕，在粮食不富裕的古代，酒属于奢侈品，所以由国家来统一管理，不允许私人卖酒。不过酒普及得很广，从东北到海南，全国上下的人都喜欢喝酒。

品酒既是一门技术，也是一门艺术。不同的酒，其色、香、味、体的风格就会给人不同的感受，使人"知味而饮"。酒与文化也成了亲密的伴侣。

第一"醉鬼"刘伶在他所作的《酒德颂》中说："兀然而醉，豁然而醒，静听不闻雷霆之声，孰视不睹山岳之形。不觉寒暑之切肌，利欲之感情。俯观万物，扰扰焉如江汉之载浮萍。"这种境界就是古典的酒神精神的典型。杜甫《饮中八仙歌》中说："李白斗酒诗百篇，长安市上酒家眠。天子呼来不上船，自称臣是酒中仙。"苏轼在《和陶渊明〈饮酒〉》中说："俯仰各有志，得酒诗自成。"杨万里《重九后二月登万花川谷月下传觞》中说："一杯未尽诗已成，涌诗向天天亦惊。"南宋政治诗人张元年说："雨后飞花知底数，醉来赢得自由身。"这样的诗句，在典籍当中俯拾皆是。

【酒的故事】

苏东坡与酒

苏东坡喜欢美食，有东坡肘子、东坡肉留于后世，而其饮酒的"知名度"虽不及李白、贺知章、刘伶、阮籍，但却以酒德闻名。

苏东坡出生于文学家庭，在这种风雅的氛围下，见客举杯是常有的事情，而题诗作画之前，先饮一杯清酒，也是自然。苏东坡爱作画，善于画枯木竹石。他作画前必须饮酒，黄庭坚曾为他的画题诗："东坡老人翰林公，醉时吐出胸中墨。"他在书法方面也很有成就，成为北宋四大书法家"苏黄米蔡"之一，他在作书前也饮酒，曾说："吾酒后乘兴作数十字，觉气拂拂从十指中出也。"

苏东坡是一个喜欢动手的人，他不仅饮酒，而且还亲自酿酒。苏东坡曾以蜜酿酒，写下《蜜酒歌》，并在《东坡志林》中记录过酿造方法。他还酿造过桂花酒，写有《桂酒颂》，酿酒完毕，他还做记录、写总结。《东坡酒经》中，有制曲、用料、用曲、投料、原料出酒率、酿造时间等，各个环节都有。

苏东坡爱酒，却很少有借酒浇愁的习惯，这大概与他的心胸豁达有关，他在饮酒赋诗时写下的，多是对生活的赞美和祝福。"持杯遥劝天边月，愿月圆无缺。持杯复更劝花枝，且愿花枝长在，莫离披。持杯月下花前醉，休问荣枯事，此欢能有几人知，对酒逢花不饮，待何时？"

茶：平常心度人生

【茶的历史】

在文人雅士的手中，茶是传达心意的舞蹈；在寻常百姓家里，那是缓解疲乏、醒脑提神的佳品。诗、酒、茶，构成了中国文人的精神世界。

中国是茶的故乡。关于茶的起源，有这样的传说。

唐代人陆羽有一本书叫作《茶经》，其中记载了茶的起源："茶之为饮，发乎神农氏。"神农氏是耕种文明和医药的创始人，因此很多生活细节的缘起，都归功到了他的头上。有人认为，神农在野外以釜锅煮水时，刚好有几片叶子飘进锅中，煮好的水颜色微黄，喝入口中生津止渴、提神醒脑。神农有尝百草的经验，他的直觉告诉他这是一种药。这种机缘加上神话的说法，被广泛认可。另一种说法是，神农有个水晶肚子，从外面可以

看见食物在胃肠中蠕动的情形，当他尝茶的时候，发现茶在肚内到处流动，擦来擦去，结果把肠胃洗得干干净净，所以神农称这种植物为"查"，后来演变成了"茶"，成为茶的起源。

但是关于茶的起源，不止这两种说法。有人说是古人不胜酒力，就以茶代酒，后来就成为一种时尚。有人说是菩提达摩到中国以后，誓言九年不睡来进行禅定，但是过了三年，他渐渐体力不支终于熟睡。醒来后，达摩羞愤交加，就割下眼皮掷于地上。不久，扔了眼皮的地方生出小树，生意盎然。此后五年，达摩一直清醒，还差一年的时候，又险些入睡。于是达摩就采食了身旁的树叶来提醒自己，结果食后脑清目明，终于实现了九年禅定的誓言。而眼皮长出来的，就是茶。

【咏茶名作】

【品令·茶词】
黄庭坚

凤舞团团饼。

恨分破，教孤令。

金渠体静，只轮慢碾，玉尘光莹。

汤响松风，早减了二分酒病。

味浓香永。

醉乡路，成佳境。

恰如灯下，故人万里，归来对影。

口不能言，心下快活自省。

【汲江煎茶】
苏轼

活水还须活火煮，自临钓石取深清。

大瓢贮月归春瓮，小杓分江入夜瓶。

雪乳已翻煎处脚，松风忽作泻时声。

枯肠未易禁三碗，坐听荒城长短更。

八大菜系：舌尖上的五味人生

【八大菜系】

每天的餐桌上，都会有不同风味的菜肴，红烧、清蒸、油炸、爆炒、凉拌……各人有各人的偏好，一个家庭常常口味一致，然后是一个村庄或一片区域，都有相同的口味选择。就这样，我们国家形成了八大菜系，也就是八种不同的饮食风味组合。今天的话题一定让我们胃口大开。

我们将中国的饮食习惯按照一定的规则分为八种，而区分的依据就是在选料、切配、烹饪等技艺方面的差别。

为什么会有不同的饮食习惯呢？一方面，中国的领土面积广大，从北往南差异很大。中国北方多牛羊，南方多水产，沿海多海鲜，因此，大家在饮食做法上自然就不会一样了。

另外，中国北方寒冷，菜肴的味道就会浓烈厚重；东部地区气候温和，菜肴兼有甜味和咸味；西南地区潮湿多雨，菜肴就会麻辣火爆；而沿海城市则习惯了海腥味，食物也比较习惯生冷凉拌。这些客观的地理环境决定了中国人在饮食方式上的差异。吃法不同，做法自然也就不同了。山东菜和北京菜擅长爆、炒、烤、熘；江苏菜擅长蒸、炖、焖、煨；四川菜擅长烤、煸；广东菜擅长烤、焗、炒、炸。

综合起来，中国的菜肴可以分为八个派系：鲁菜、川菜、

粤菜、闽菜、苏菜、浙菜、湘菜、徽菜。除了这八个菜系，京菜、上海菜、湖北菜等，也有自己的特点，但是影响不如前面的广泛。

如果说菜系有自己的气质，那么苏、浙菜就好比清秀雅致的江南女子；鲁、皖菜犹如古拙朴实的北方大汉；粤、闽菜好似幽默滑头的风流公子；川、湘菜就像内涵丰富、才艺满身的蜀国名士。

【二十四般武艺】

同样的食材用不同的烹饪方法，做出来的风味是完全不一样的。就像做土豆，煮的、炒的、炸的就很不同。我们上面说的这八大菜系，后来又提炼出了二十四种做菜的方式。其中的学问，一点也不比练武功少。

火字派：炒、爆、熘、炸、烧、焖、炖、烩、炝、烤。

这几种做法都是"火"字旁，可见他们与火候的关系。其实每一种做菜的方式都与火候是密切相关的，即使没有火字旁，也很少是不生火就能做的。

水字派：烹、煎、蒸、煮、熏。

其他：贴、氽、腌、拌、卤、冻、拔丝、蜜汁、卷。

【按吃排辈】

如果将中国的每一个区域都划出一个代表城市，那么北方的中心是北京，西部的中心当然是有"食在中国，味在成都"称号的成都，东部的中心是有"天下第一食府"称号的苏州，南部则是有"无所不食"称号的广州。

有名的八大小吃城有南京、苏州、上海、长沙、北京、成都、开封、台北。

【满汉全席】

要说什么时候中国的八大菜系都能团聚，那就是在传说中的满汉全席了。

满汉全席主要指的是清代的国宴，是官场中举办宴会时满人和汉人一起做的一种席面。所以它既有宫廷菜肴的特色，又有地方风味的精华；满族菜有烧烤、火锅、涮锅这些特色，而汉族的八大菜系也是琳琅满目、花样繁多的。满汉全席一般最少有一百零八种菜，南菜五十四道和北菜五十四道，分三天吃完。

满汉全席除了菜肴精美，吃饭的礼仪也很有趣。入席前，先上茶水和手碟，台面上有四鲜果、四干果、四看果和四蜜饯；入席后，按照冷盘、热炒菜、大菜、甜菜依次上桌。也有统计说，全席有冷荤热肴一百九十六品，点心茶食一百二十四品。在座之人要用全套粉彩万寿餐具，配以银器，真是豪华绝伦。席间有名师奏古乐，还有人前后服侍。

不过唯一遗憾的是，有满汉全席的时候，川菜尚未流行，要是加上川菜，那真是锦上添花、如虎添翼了。

太极拳：柔如水，韧如丝

【太极产生】

受到中国功夫电影的影响，很多外国人天真地以为，凡是中国人都会几招拳脚功夫，就像我们认为巴西人个个都能踢足球一样。不过巴西人大部分是爱足球的，中国人一到半百的年龄，也就走进了太极的节奏中。太极不是功夫，但却是最能代表中国的武学精神和哲学精神的一种拳术。

太极这个概念，最早见于《易经》当中，含有至高、至极、绝对、唯一的意思。中国的儒学、道教，都受到这个名词的影响。古人将宇宙分为太易、太始、太初、太素、太极这样五阶段，宋代的大儒周敦颐在《太极图说》的开篇就说："无极而太极。"有人认为，世界的本原就是太极，"无极太虚气中理，太极太虚理中气。乘气动静生阴阳，阴阳之分为天地。未有宇宙气生形，已有宇宙形寓气。从形究气曰阴阳，即气观理曰太极"。在这种玄之又玄的说法中，太极究竟是什么，人们只能做一个简单的理解。古人认为，太极就是天地尚未分开之前的混沌的元气。这种概念，是在强调阴阳、平衡、中庸。所以太极拳的招式，也是在静中有动，在动中求静。

【太极拳法】

太极拳是根据《易经》中阴阳相生之理、中医的经络、导引、吐纳等理论和技法综合而成的拳术，具有刚柔相济、快慢相间的特点。太极拳松活弹抖，符合人体结构，是一种具有大自然运转规律的拳术。

太极拳的历史悠久，流派众多，主要有陈式、杨式、孙式、吴式、武式以及武当、赵堡等。作为传统拳术的太极拳既可以技击防身，又能够防治疾病和增强体质，因此深受人们喜爱。太极拳在早期曾被称为"长拳""绵拳""十三势""软手"。至清朝乾隆年间，山西武术家王宗岳著《太极拳论》，才确定了太极拳的名称。

太极拳在技击上别具一格，特点鲜明。它要求避实就虚，以柔克刚，以静制动，借力发力，主张一切从客观出发，随人则活，由己则滞。为此，太极拳特别讲究"听劲"，所谓"听劲"就是要准确地感觉、判断对方的来势。当对方未发动前，自己不要冒进，要用招法诱敌，探其虚实，这就是所谓的"引手"。一旦对方发动，自己要迅速抢在前面，"彼未动，己先动"，将对手引进，或者分散转移对方力量，乘虚而入，全力还击。

太极拳也比较讲究劲道，劲以曲蓄而有余，周身之劲在于整，发劲要专注一方，须认定准点，做到有的放矢。劲起于脚跟，由脚到腿，再由腿到腰，高手再集而发之，形于手指，这一过程完整一气，不会有丝毫间断。总之，太极拳需要注意引进落空、借力打人的方法，周身须完整统一，动则俱动，静则俱静，劲断意不断，才能一触即发。牵引在上，运化在胸，储蓄在腿，主宰在腰，蓄而后发，其威力无穷。

【太极知识】

拳诀

拳似流星眼似电，腰如蛇形脚如钻；
闾尾中正神贯顶，刚柔圆活上下连；
体松内固神内敛，满身轻俐顶头悬；
阴阳虚实急变化，命意源泉在腰间。

棋：智力与耐力的较量

【围棋】

传说乾隆皇帝喜欢下棋，有一次他和官员刘庸下棋，说输了的话就可以答应他任何条件。结果他真的输给了刘庸，乾隆问刘庸想要什么，刘庸说自己想要皇上帮忙成全他的亲事。原来，刘庸看上了一位漂亮小姐，但是他自己弓腰驼背，

就不敢高攀。皇帝一听，就爽快地答应了他，就这样，刘庸用一盘棋赢了一位夫人。

虽然这个故事不可信，但是下棋的确是我们中国人喜欢的一种游戏，既文雅，又有趣。我们通常所说的棋分为很多种，今天要说的是其中最常见的两种：围棋和象棋。

围棋起源于中国，在我国古代称为弈，在整个古代棋类中可以说是棋之鼻祖，相传已有四千多年的历史。晋代的张华在《博物志》中说舜创造了棋。

围棋棋盘为标准的正方形，由纵横各十九条线互相垂直、均衡地交错而成，构成一幅对称、简洁而又完美的几何图形。如果你凝视棋盘，有可能会产生一种浑然一体、茫然无际的感觉。那种感觉就像是仰视浩瀚苍天或者是俯瞰寥廓大地。中国围棋大师吴清源考证说：围棋其实是古人的一种观天工具。棋盘代表星空，棋子代表星星。

围棋棋盘的最大特点，在于它的整体性、对称性、均匀性。它全然一个整体，上下左右完全对称，四面八方绝对均匀。它既无双方阵地之分，也无东西南北之别。棋盘可以横摆、竖摆，下棋者可以从任何一边落子。围棋棋盘的这些特点十分契合宇宙空间的本性。

围棋对弈又被称为"手谈"，双方以落子作为语言进行交流，每手棋都传递着信息。从战术上讲，围棋中有"金角银边草腹"之说。意指围取同样多的地，在棋盘角上可以利用棋盘的两条边，所需子力（手数）最少；在棋盘边上只能利用棋盘的一条边，所需子力（手数）较多；在棋盘中腹没有边可以利用，所需子力（手数）最多。所以主流弈法多优先在棋盘角和边上围地。

围棋是一门经济学，不同于其他棋类项目以先擒获对方某种棋子为胜，追求达到目标的过程，围棋以控制地盘大者为胜方，追求数量的优势；而与其他棋类项目一样，围棋也是双方轮流下子，棋子及落子的机会就是棋手所掌握的稀缺资源。

【象棋】

战国时期，已经有了关于象棋的正式记载。最早的象棋，棋制由棋、箸、局三种器具组成。与围棋不同，象棋行棋两方，每方六子。下棋之前，双方要先投箸，以决定先后。局，是一种方形的棋盘。比赛时，"投六箸，行六棋"，斗巧斗智，相互进攻逼迫，以置对方于死地为胜。春秋战国时的兵制，以五人为伍，设伍长一人，共六人。由此可见，实际上早期的象棋，象征了战斗，是模拟战争的一种游戏。

三国之后，象棋的形制不断变化。唐代的象棋形制，和早期的国际象棋颇多相似之处。经过近百年的实践，象棋于北宋末期定型。在这种模式下有棋子三十二枚，棋盘上有河界，将在九宫之中等等。到了南宋时期，象棋已经家喻户晓，一时间成为广泛流行的棋艺活动。

象棋各子有其固定的走法，比如马走"日"字，相飞"田"形，"帅"和"士"只能在九宫里走。"炮"隔子可以吃对方子，卒子过河不回头。

象棋在元明清时期，继续在民间流行，人们下棋的技术水平不断得以提高，出现了多部总结性的理论专著，其中最为著名的有《梦入神机》《金鹏十八变》《桔中秘》《适情雅趣》《梅花谱》《竹香斋象棋谱》等。杨慎、唐伯虎、袁枚等文人学者都爱好下棋。

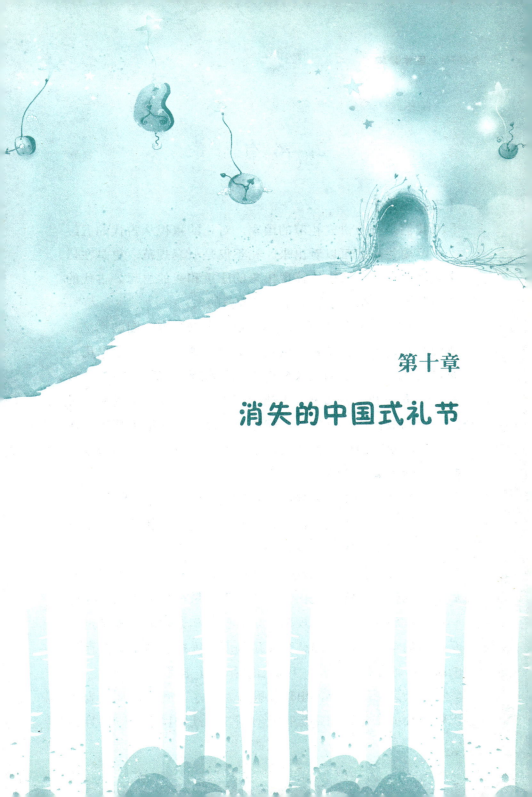

第十章

消失的中国式礼节

五礼：学做有教养的人

【五礼由来】

我们是一个讲究礼节的国家，对礼的重视从古代的五经之一《周礼》就可以看出来。礼不仅是一套规范，更是在日常生活的每个细节中所体现出来的庄重和美的思想。古代的贵族要学习五礼，才能算作是有教养的人。

"礼仪之邦""食礼之国"是常用来形容中国的词汇。我们懂礼、习礼、守礼、重礼的历史，源远流长。根据历史典籍的记载，最初的礼仪来自人们的饮食生活，叫作"食礼"。最早出现的食礼，又来自远古的祭神仪式。先民把黍米和猪肉放在烧石上烤炙，献给神明享用；在地上凿坑当作酒樽，用双手掬捧着给神明献饮；还用茅草扎成长槌敲击土鼓，表达对鬼神的敬畏。

食礼是人与神鬼的沟通，后来逐渐扩展到人与人的交际，这样就演变出了吉礼、凶礼、军礼、宾礼、嘉礼这"先秦五礼"，奠定了古代礼制的形式。

为了使礼仪更好地发挥"经国家、定社稷、序人民、利后嗣"的作用，周公提出了"明德""敬德"的主张，通过制定礼仪和相关的音乐规范，来对皇家和诸侯的礼宴制定一套具体的规定。周公的这套礼乐制度，维持了周王朝四百年的统治，但是后来礼崩乐坏，社会陷入了混乱。

周公之后五百年，出现了孔子、孟子、荀子，他们为了保障社会的安定和正常运行，对周礼继续加以规范，并且补

充了仁、义、礼、法等内涵，"以礼定分"。经过这三位思想家的整理，最后形成了《周礼》《仪礼》《礼记》三部经典著作，礼思想成了社会的核心与灵魂。

"人无礼则不生、事无礼则不成、国无礼则不宁"，这种人与人之间的行为准则和在筵席、餐饮上的礼尚往来，在长期的流传过程中，成为人民生活中的一部分，并演变成各种合理的饮食礼仪与礼俗，是中华民族优秀的文化传统。

【五礼内容】

现在所说的五礼，指的是古代的五种礼制，即吉礼、凶礼、军礼、宾礼、嘉礼。

吉礼：吉礼是五礼中最重要的部分，主要是对天地、人鬼的祭祀典礼。祭祀的对象包括昊天上帝、日月星辰、司中、司命、雨师、社稷、五帝、五岳、山林川泽、四方百物，祭先王、先祖等等。由于人们相信祭祀祖先神明可以得到保佑，如果天降灾祸则是神明发怒了，因此这种吉礼是关系到国家安危的大事情，古人慎之又慎。

凶礼：凶礼是哀悯、吊唁之礼。古人以丧礼哀死亡，以荒礼哀五谷歉收或者疾病流行，以吊礼哀灾祸，以裕礼哀围败，以恤礼哀暴动和寇乱。

军礼：军礼是在带兵和打仗时的礼节。这里很有趣的是，古人打仗是约定好时间地点的，也会通报自己的主将姓名，交战前相互问候、按时到达、讲信用是最基本的要求。但是到了春秋以后，有人说"春秋无义战"，因为那时候礼崩乐坏了，人们就不讲信用、使用欺诈的手法了。演奏军乐也是军礼中的内容，还有士兵的穿着，临行时的祈福活动，回来以后的处理伤病和阵亡士兵的后事，这些都有要求。

宾礼：宾礼是接待宾客、使者的礼仪，主要是外交方面的。

嘉礼：嘉礼是关于人际关系、沟通、联络感情的礼仪。嘉礼包括生活的饮食之礼、婚冠之礼、宾射之礼、飨燕之礼、脤膰之礼、贺庆之礼。这种礼仪是对日常生活的规范，越到后来越翔实。

成年礼：责任的开始

【成年礼节】

人生虽然是一个整体，但是我们习惯将它分成不同的阶段来看，比如幼年、青年、中年、暮年或者晚年、老年。每一个阶段都有相应的任务，同时也有一定的仪式来提醒你在这一个阶段应该明确自己的目标。古人在男子二十岁的时候会行冠礼，这种仪礼对一个人的一生来说，都非常重要。

从原始社会起，就产生了成年礼，延续了几千年的历史，这种礼节是年轻人踏入社会的关键。男子行冠礼，女子行笄礼，这意味着男女青年已经成熟，可以婚嫁，并从此作为一个成年人，有资格参加各项活动。

成年礼也称成丁礼，是由氏族的长辈为青年人举行的仪式，青年要经过这样的仪式，才能获得认可。在周代，男子二十岁行冠礼，但是天子、诸侯为了早日执掌国政，很多都提前行礼。周文王是十二岁而冠，周成王是十五岁而冠。

冠礼要在宗庙里面举行，延续两个月。在举行冠礼前，要先占卜一个吉日，然后把日子通知给亲朋好友，希望他们

能一起来见证这个伟大的时刻。在前三天，又要挑选主持冠礼的大宾，并选一位"赞冠"协助冠礼仪式的举行，这就像现在的见证人和助手。行礼时，受冠者的父亲、大宾及受冠的人都要穿礼服。而且，冠也就是帽子，有三顶，先加缁布冠，然后授以皮弁（音 biàn），最后授以爵弁。每次加冠毕，大宾都要对受冠者读祝词。祝词通常是：在这美好吉祥的日子，给你加上成年人的服饰；以后不要像个小孩子，要像一个大人；要保持威仪，培养美德；希望你健康长寿，前途光明。

这些流程走完以后，受冠的人要去拜见母亲，再请大宾为他取字。这取字也是按规矩来的，周代通常取字为"伯某甫"（伯、仲、叔、季，就是老大到老幺的顺序）。然后，父亲就送大宾出庙门，向他敬酒，感谢他帮忙主持冠礼，一般还要送五匹布、两张鹿皮和肉作为报酬。

这时，他已经成年了，就要穿着礼帽礼服去拜见国君，又提着野禽去拜见乡大夫等。如果这个人的父亲已经不在了，他就要向父亲的排位祭祀，表示在父亲面前完成冠礼。

这些都弄完了，受过冠礼的人就去拜见叔叔伯伯，然后一起吃饭。

这套程式是在少年十五岁至二十岁之间举行的，各地的情况不一样。清中期以后，很多地方都把冠礼移到娶妻的前几天或前一天一并举行。也有的人家仪式简易，不宴请宾客，只在本家或自家范围内小规模进行。

【冠礼常识】

古礼对成年礼的规模有要求，首先是举行成人仪式的成年者本人；然后是宗子等男性宗亲长辈，现在来说就是冠者的父母双亲；还有一个德高望重的长辈，这是因为即将成年的男孩子，必须强调其作为男性的社会角色，正宾必须符合德高望重的要求，才可以作为及冠者的人生向导和社会楷模。威严的祖父、父亲等男性长辈是最合适的人选，请德高望重的师长也很好；还要一个协助正宾加冠的助手，负责给冠者梳发、更衣，可以选择师长、兄姊、好友等；还要三个为冠者托盘准备的人，可以选择好友、兄弟姐妹；最后就是师长亲友等人，一起观礼。

冠礼中要行礼，一般是行正规揖礼：男子左手压右手，女子右手压左手，手藏在袖子里。

正规的拜礼是：直立，举手加额如揖礼，鞠躬九十度，然后直身，这段叫"鞠躬"，同时手随着再次齐眉。然后，双膝同时着地，缓缓下拜，手掌着地，额头贴手掌上，这叫"拜"，然后直起上身，同时手随着齐眉，这叫"兴"。

婚礼：有祝福才幸福

【婚礼略说】

婚姻对一个人来说是关系到一生幸福的事情，对社会来说是关系到稳定和人口的事情，因此不管哪个国家都有重视婚礼的传统，而中国的传统婚礼更是内容丰富、程序复杂、寓意有趣。所以婚礼也是孩子们比较喜欢的一个"节目"，因为里面可以玩可以看的东西实在太多了。

在传统中国人的眼中，婚姻应该"门当户对""明媒正娶"，也就是说，要结成婚姻的双方既要在条件上相当，公子对小姐，郎才对女貌，又要经过合法的程序成为夫妻，像梁山伯和祝英台私订终身或者不"八抬大轿"，这样的婚姻虽然得到同情，但是不被承认，甚至会被族人厌弃。而合法的程序，就是一套专门的婚礼制度。

婚礼的程序有六步，也就是所谓的六礼。

（1）纳采：男方的家里看上了谁家的姑娘，就请媒人提亲，如果女方同意议婚，男方就要备礼去女家求婚，而求婚的礼物是活雁。为什么要用雁呢？因为大雁是候鸟，象征着顺乎阴阳；雁如果失去了配偶，就会终生不再成双，也就象征着忠贞不贰。

（2）问名：求婚后，媒人要问清楚女方出生的日期、时辰和姓名，用来准备合婚的仪式。

（3）纳吉：媒人问名后，要占卜，一般都会是好消息。然后男方就要把占卜合婚的好消息通知给女方，这个步骤又叫"订盟"，这是订婚的主要仪礼。古代是照例要用雁作为婚事已定的信物的。但是到现在发展成为用戒指、首饰、彩绸、礼饼、礼香烛甚至羊猪等作为信物，也就是去定聘。

（4）纳征：订盟后，男家将聘礼送往女家。女家也要回礼，就是将聘礼中食品的一部分或全部退还；或赠男方衣帽鞋袜作为回礼。聘礼的多少及物品名称多取吉祥如意的含义，一般都是双数。

（5）请期：送完聘礼后，就要选择大婚的吉日了，这时候男方要备礼到女家，征得同意。请期礼往往和过聘礼结合起来，在过大礼的时候决定婚期。

（6）亲迎：新婿亲往女家，迎娶过门。前五项是议婚、订婚的过渡性礼仪。亲迎的时候，一般用花轿，分双顶或单顶，扶新娘子上轿的"送亲嫂"，陪新郎至女家接人的"迎亲客"，都各有要求。从女方家里起轿、回车马，男方迎轿、下轿、双方祭拜天地、行合欢礼、入洞房。在这个过程中，还有数不清的细节，都是为了求吉利。亲迎的季节，古时候一般选在春天，那时候还没有开始春耕，比较悠闲，正好举行婚礼。

并不是"六礼"过后，女方就不再回家了。而是婚礼不久，新娘子就要"归宁"。生小孩子的时候，也要行礼，其中花样很多。

【婚礼名词】

催妆，男家派人携礼催请女家及早为新娘置妆。宋代，亲迎前三日，男家送催妆花髻、销金盖头、花扇等物至女家，女家则答以金银双胜御、罗花璞头、绿袍、靴等物。

送妆，是在亲迎前数日，女家派人将嫁妆送至男家的礼节。嫁妆往往用箱笼装着，也有人家为炫耀陪嫁，将嫁妆用方桌一一铺开，排成一个纵队浩浩荡荡地送至男家。

铺房，是女家派人至男家铺设新房的礼节。宋代时，亲迎前一日，女家派人至新房铺设帐幔、被褥及其他房内器皿，并且备礼前来暖房，然后让亲信妇人或从嫁女使看守房中，不许外人进入，以待新人。铺房人必须是福寿双全、家境富裕的"好命婆"，以取吉祥之意。现代有些地方还流行此俗。

乡饮酒礼：尊贤敬老的风尚

【乡饮酒礼略说】

乡人有时聚会、宴饮，也需要一定的礼节来维持秩序，这就是乡饮酒礼。《礼记·射义》说，"乡饮酒礼者，所以明长幼之序也"。乡饮酒礼的意义在于序长幼，别贵贱，通过集体活动，来成就孝悌、尊贤、敬长养老的道德风尚，达到德治教化的目的。

乡饮酒礼可以分成四类：第一种，是三年一次的大会，诸侯的乡大夫向诸侯国君举荐贤能之士，在乡学中共同饮酒，享受宾礼的待遇，这主要是为国家（诸侯国）推荐人才。第二种，是乡大夫自己组织的宴饮，也是用来表彰国中的贤者。第三种，是州长在春、秋两季的运动会的比赛前要饮酒。第四种，当在冬天蜡祭的时候饮酒。

饮酒聚会的时候，乡大夫要身着朝服来议定宾、介的人选，宾、介指的就是乡中贤能之士，宾是将来会在国君身边做事的贤者，介是辅佐宾行礼的人，也是乡中贤者。他们一般也都是有文化的人，所以几乎不用做提前的礼仪培训。

筵席的桌子是用黑布镶边的蒲席，酒樽上盖粗葛布的盖巾，等到宾客到席时撤去。吃的肉是狗肉，要在堂外东北边烹煮。献酒用爵，其他用觯。放在宾席上的肉食有：脊、胁、肩、肺；主人的餐盘中有：脊、胁、臂、肺；贵宾上的肉食有：脊、胁、脏、胳、肺。

干杯的时候，也要行礼。坐着干杯的人干杯后要拜，站着干杯的人干杯后则不拜。酒杯在不用的时候，放置于左边；如果想要站起敬酒，就放置于右边。开始奏乐之后，大夫便不可再随便活动了。

告退的时候，要奏《陔夏》这首曲子。

【饮酒礼在近代】

到了宋代，乡饮酒礼又称为"饮酒礼"，开始由政府来组织，并且在明清两代非常盛行。从表面上看，这似乎是一种简单的餐饮宴请活动，但是在当时，这有着非常重要的政治作用。

饮酒礼实际上是在宣传与弘扬主流的社会观点：为臣尽忠、为子尽孝、兄弟相亲、邻里和睦、朋友有信、长幼有序等，这一套道德伦理规范，也是社会得以稳定运转的保证。

这种以宴饮为形式的礼仪，要求各府、州、县行政长官代表朝廷亲自到场参加，以表示对宾客的尊重，就像在开奥运会时，最好是能各国的元首都出席一样，这样显得比较隆重。

被邀请参加饮酒礼的宾客，均是身家清白、齿德俱尊的乡绅，其中有官职的被称为大宾，年高有德的被称作僎宾，中年有德的被称作介、宾。这些被邀请的人必须经过地方长官的考核，并且查看他们三代之内的表现是否体面，然后逐级上报到省督核准，核准通过之后才能准许邀请参加。

在乡饮酒礼中，主人与大宾象征天地，僎介则象征阴阳，三宾又象征日、月、星三光。为了表彰他们在地方的德行义举，除了颁发给他们乡饮证书，地方官员们还要赠予牌匾。这些人的姓名还会被载入地方史志，而这些人也会名垂青史。这样做的目的，就是让人们感受遵纪守法、为人正派的荣耀。

这种聚会在每年的正月十五与十月初一分别举行一次，所需要的经费必须由官府支付。礼仪活动中的人员设置、座次安排与物品陈设都有严格、细致的规定。在行乡饮酒礼过程中，有一个重要的司礼人员，就是执掌觯案的扬觯官，他负责监督在场每一位人员的一举一动是否按照礼仪规制进行。如果有人高声喧哗、坐错位置，或者出现其他违礼行为，扬觯官便会立即给予制止、纠正，同时罚酒。

数百年来，乡饮酒礼一直没有任何变化与发展，辛亥革命以后，乡饮酒礼也与其他礼仪一起，退出了历史舞台。

射礼：发展体育，保家卫国

【射礼略说】

我们开运动会，有各种各样的比赛项目。古代也有运动会，但是主要是比射箭。在很长一段时间内，弓箭都是军队重要的武器，比射技不仅是在交流感情，更是在加强国防。所以古代的运动会既有联谊的性质，又有演习的意味，还有教育的功能。

射礼是举行"射"之前的礼仪。射不仅是技艺的练习与竞赛，更重要的是体现了观盛德、司礼乐、正志行的教育意图。从历史记载来看，射礼可以分为四种。

一是大射，天子、诸侯要为祭祀选择参加的人员而举行；二是宾射，诸侯朝见天子或诸侯相会时举行；三是燕射，在平时燕息之日举行；四是乡射，地方官为荐贤举士而举行。射礼前后，常有宴饮，因此乡射礼也常与乡饮酒礼同时举行，是古代盛大的聚会活动。

主持大射礼仪的司射，要袒露左臂，执弓挟箭到阶前，请求射礼开始。这时有人员将弓矢献给君王，宣布计算成绩的方法和比赛规则。然后说："弓箭都已齐备，执事者请求射事开始。"

这时如果是君王，他就直接应允，如果是嘉宾主持，就回答说："在下德艺不高，但由于诸位先生，不能不许。"这时候司射就宣布："向宾请射，宾已准许。"类似于现在的"比赛开始"。

比赛开始以后，会有人通报："先生与某某先生射。""运动员"听到自己的名字，就上前射箭，射完下场，这一套做法其实和运动会是差不多的。

历史上记载，汉宣帝甘露三年（前51），众多的儒士在石渠阁讲论经义，讨论过大射礼与乡射礼在背景音乐上的区别。东汉永平二年（59），明帝"临辟雍，初行大射礼"，这是史书中第一次记载大射之礼。

从两汉开始，就渐渐有记载射礼的章句了。后汉的射礼记载较详，每年季秋为大射，有专门的"射所"行礼。唐代在射宫中举行射礼，也是在每年的三月三、九月九两次。皇帝要射出第一箭，群官射中的有奖品。这种射礼也曾经因为耗资太大而中断过，但是国家在繁荣的时候还是会定期举行。北宋大体沿用唐代制度，明太祖重视射礼，他认为，不仅武夫要弯弓习射，文士不解弧矢之道也是不对的，于是下令太学及郡县学生都要学习射箭。

清初对骑射军训也很重视，但是后来八旗子弟散漫怠惰，不知习武骑射。

【 投壶之礼 】

投壶之礼与射礼相仿，但它不需要宽大的赛场和众多人员，比较适合中小型聚会。

投壶，就是以箭矢投入壶中为胜。壶肚子大嘴巴小，里面装着豆子，使箭矢投入后不至于弹出来。箭矢是用柘木削制而成的，投入壶中的也可以是扇子、簪子等物品。投壶可以在室中、堂中或庭中举行。一般的投距是二矢半，不过箭有长短，实际距离也略有变化。

投壶时，先由主人派人拿着壶到来宾面前，请求他们加入投壶的游戏。宾主拜揖行礼之后，就放好器具，宣布投壶规则。主要规则是：必须将箭矢的端首掷入壶内才算投中，要依次进行，抢投的不计分，投胜者罚不胜者饮酒等等。

投壶之礼于春秋时比较多见。《左传》中记载了晋侯、齐侯投壶燕饮的故事。晋侯先投，其间穆子致祝词说："有酒如淮，有肉如坻，寡君中此，为诸侯师。"说完晋侯一投而中。轮到齐侯投时，他也祝道："有酒如渑，有肉如陵，寡人中此，与君代兴。"齐侯也把矢投进了壶中。在这个游戏当中，包寓着政治斗争的风云。

书信：心意上的诚恳

【 书信功能 】

古人见面的时候要相互问候，不能见面的时候，就要通过书信来相互问候。所以说书信也是一种看不见的礼仪。今天我们很少手写书信了，但是人与人之间还是时常需要一些沟通和交流，比如短信、邮件等等，其中也同样需要书信中的那种礼仪。

古代的"书"指的是圣贤的言辞，书就是舒展的意思。把言辞舒展散布开，写在简板之上，就成了书。春秋时期，诸侯之间持书往来的使者很多。秦国大夫绕朝赠策书给晋国大夫士会，郑国大夫子家派使臣送信给晋国大夫赵盾，楚国的屈巫从晋国送信给楚公子侧，郑国大夫子产寄信劝告晋国的士匄。这些外交书信中的语言，就像是两方在相对面谈。

汉朝的司马迁在《史记》中附有《报任安书》，是司马迁写给朋友的信。他的那个朋友秋后要被处斩了，希望司马迁能帮助他说几句好话，这时司马迁解释说，自己人微言轻，恐怕不能帮忙。司马迁在信中还讲了自己获罪的经过，又说了身为阉人的痛苦和无奈，让人读完之后，忍不住替他鸣不平，也原谅了他的无能为力。

书信有时候比见面聊天还要有效，因为它更能抒发感情，讲事情也更加周详。除了文从字顺这种在逻辑上的合格，中国书信更讲究心意上的诚恳，因此，常有固定的称谓来贬低自己、抬高对方，以表达谦卑之情。

【古代书信的用词】

【足下】

古代最初用于下对上的敬称，后来书信中多用于同辈之间。

【膝下】

子女致父母的信，多以"父母亲大人膝下"起首。人幼时常依于父母膝旁，家书中用"膝下"，既表敬重，又显示出对父母的眷依之情。

【垂鉴】【赐鉴】【尊鉴】【台鉴】

鉴是古代的镜子，有审察的意思，如果用于书信中就是"请阅看"的客气说法。垂，含居高临下之意。赐，上给予下叫作赐。垂鉴、赐鉴，多用于对上、致年高德劭者的信中。尊鉴，可以用于尊长，也可以用于同辈。台鉴适用范围较广，"台"有"高"的意思，对熟识或不熟识的尊长、平辈，皆可使用。

【慈鉴】【爱鉴】【双鉴】【芳鉴】

致母亲，可以称"慈鉴"。夫妻或情意亲密的男女之间，可以用"爱鉴"。给友朋夫妇二人之信，可以用"双鉴"。女子间往来书信，可以用"芳鉴"。

【礼鉴】

专用于给居丧者的信，爱国之士李公朴遇害后，周恩来等致其夫人唁函即称"张曼筠女士礼鉴"。

【敬禀者】

写信人自称是恭敬地禀陈事情的人，表示下面是所要禀告的话，用于致父母尊长的信，如"母亲大人膝下，敬禀者"。

【敬启者】

写信者自谦为恭敬地陈述事情的人，表示请对方允许自己告诉下面所写的内容。既可以用于同辈，也可以用于下对上。

【结尾句】

书短意长，不一一细说。恕不一一。不宣。不悉。不具。不备。不赘。

【请对方回信】

盼即赐复。翘企示复。仁候明教。时候教言。盼祷拔冗见告。万望不吝赐教。敬祈不时指政正。敢请便示一二。如何之处，恭候卓裁。

【告诉对方不用劳神回信】

谨此奉闻，勿烦惠答。敬申寸悃，勿劳赐复。

【表示感谢之情】

诸荷优通，再表谢忱。多劳费心，至纫公谊。高谊厚爱，铭感不已。

【答复对方询问】

辱蒙垂询，略陈固陋，聊博一粲而已。远承下问，粗述鄙见，尚希进而教之。上述陋见，难称雅意，亟祈谅宥。姑道一二，未必为是，仅供参考。不揣冒昧，匆此布臆，幸勿见笑。

【表示关切】

伏惟珍摄。不胜祷企。海天在望，不尽依迟（依依思念）。善自保重，至所盼祷。节劳为盼。节哀顺变（用于唁函）。

第十一章

影响中国的历史人物

秦始皇：一统天下

【秦始皇其人】

在春秋战国时期，中国还没有统一，而是分为不同的政权，各自为政，有齐、楚、燕、赵、韩、魏、秦七雄，还有其他很多小政权。大家互通书信往来，有时候因为利益而打仗，语言也不一样，风俗习惯各异。但是到秦始皇时，中国成了大统一的国家，从此再也没有改变统一的观念。有人佩服拿破仑，而拿破仑没能统一欧洲，但是秦始皇统一了中国。

秦始皇的全称是秦王朝的始皇帝，他也是中国历史上第一个真正的皇帝。后人称之为"千古一帝"，就是因为他结束了战国时期四分五裂的局面。

秦始皇本姓嬴，名政，是秦庄襄王之子，十三岁时，秦王政即位，但因年幼，当时的朝政由太后和大臣吕不韦掌管。等他二十二岁时，才行成人加冕礼，这已经算是很晚的成人礼了。不过二十多岁的秦王正式登基之后"亲理朝政"，重用李斯、尉缭，广泛地招纳人才，先后灭了韩、赵、魏、楚、燕、齐六国，统一了中国。秦朝是历史上第一个以早期汉族为主体的多民族统一的国家，定都咸阳。秦王政认为自己的功劳胜过之前的三皇五帝，于是自称为"皇帝"。

【秦始皇功绩】

书同文

春秋战国时期，兵器、陶文、帛书、简书等民间文字存

在着差异。这种状况导致各地经济、文化交流困难，中央政府的政策法令也难以有效推行。

秦朝一统之后，秦始皇下令命李斯等人着手文字统一的工作。李斯以战国时期秦人通用的大篆为基础，吸取齐鲁等地通行的蝌蚪文的优点，创造出一种新文字，称为"秦篆"，又称"小篆"。这种字的形体匀圆齐整、笔画简略，其他异体字在这时也就从历史上退出了，后期还产生了隶书。统一和简化文字，是对我国古代文字发展演变的一次总结，对我国文化的发展起了重大作用。

度同制

战国时，各国的度量衡制度和货币制度很不一致。秦统一后，也对货币、度量衡的标准做了统一的规定，这样，经济上的交换和土地的丈量就更加方便，也促进了各区域之间的物品贸易和交流。

车同轨

战国时，各国车辆形制不一，有的两轮距离宽，有的两轮距离又很窄，这样不便于车马的任意往来。秦始皇统一全国后，定车宽以六尺为制，这样一车可以通行全国任何一条"国道"。同时，秦始皇开始大幅修筑以国都咸阳为中心并向四面八方延伸出去的驰道，类似现代的高速公路。这样也加强了他对各地的了解和全国的往来。

行同伦

行同伦就是让全国的人民在风俗上相接近，建立起统一的伦理道德和行为规范。秦始皇二十八年（前219），他来到泰山下。这里原是号称"礼仪之邦"的齐国故地，始皇令人在泰山所刻的石上记下"男女礼顺，慎遵职事，昭隔内外，糜不清净，施于后嗣"。意思是说男女之间界限分明，以礼相待，女治内，男治外，各尽其责，从而给后代树立好的榜样，予以表彰。而秦始皇三十七年（前210）在会稽刻石上留的铭文，则对当地盛行的淫泆之风大加鞭笞，以此改掉当地不正的风俗。

【秦始皇的是非】

长城

灭六国之后，秦就开始北筑长城来作为国防，每年要征发民夫四十余万。这在战争刚结束的当时，男女辛苦劳动都吃不饱穿不暖，还要征调如此之多的民力，去从事非生产性的劳动，必然带来饿殍遍野的后果，死亡人数无法统计。这不仅让良民变成了乱民，而且还让家庭破裂。

焚书坑儒

为了统一国民的思想，秦始皇在公元前213年，开始销毁《秦记》以外的所有史书，民间只允许留下关于医药、占卜和种植的书，这种做法一直持续到公元前206年秦朝灭亡，这种做法史称"焚书"。

公元前212年，秦始皇因两个方士私自逃跑且诽谤皇帝，在首都咸阳将四百六十余名方士活埋，史上称"坑术士"。"坑儒"是后代的一种不严密说法，并没有坑杀大量的儒生。

现在所说的"焚书坑儒"的做法，不仅让大量的文献典

籍失传，而且让学术发展中多了一层恐怖的色彩。

苏东坡：文人的典范

【苏东坡其人】

中国文人的典范是谁？屈原，过于悲情；陶渊明，过于出世；李白，过于浪漫；杜甫，过于沉郁；白居易，过于朴实；欧阳修，过于学术；柳永，过于风流……数来数去，唯有苏东坡，他既有天才的诗情，又有常人的爱憎；既关心着黎民百姓的生活，又从不以扭转乾坤之人自居；他不是如鱼得水的政客，在官场上屡遭陷害；但他也不是超脱尘世的神仙，人间的酸甜苦辣让他流连。苏东坡不仅是一流的诗人、词人、书法家、思想家、画家，更是世上难得的活得真实、活得有滋有味的名士。

苏轼，字子瞻，号东坡居士，四川眉山人，与其父苏洵、其弟苏辙号称为"三苏"，并列于"唐宋八大家"中。苏轼曾经少年得志，与弟弟苏辙同榜中进士，获得主考官欧阳修的极口称赞，也得到当朝皇帝的赏识。但进入仕途后，由于卷入新旧党争的激烈旋涡中，因此他的一生就再也不能平静，他可能是中国士大夫文人中遭贬次数最多的一个。

苏东坡先是被朝中小人构陷，由堂堂知州突然被逮捕入狱，成了阶下囚犯；出狱后贬官黄州，官职卑微，俸禄很少。他以后辗转数处，都不得意。六年后，旧党上台，苏东坡奉诏进京，在短短的二十多天内，居然连升数级，差一点就拜相了。然而等到哲宗亲政，又将他贬到广东惠州，海南岛的儋州，苏东坡以六十余岁的高龄过着生活上"食无肉，病无药，居无室，出无友，冬无炭，夏无寒泉""日啖薯芋"的贫穷生活，幼子夭亡，最能理解体贴他的侍妾也病死。在儋州，他度过了生命的最后几年，直到六十六岁时遇赦北归，却死在路途之中。在死后的七十年里，他却又不断被赐封殊荣，谥曰"文忠"，又特赠太师。

纵观苏轼的一生，可以说是历尽艰辛、大起大落的一生。然而他的一生又始终是乐观的，是面对现实的一生，也是超脱现实的一生。

【才华横溢的苏轼】

说他才华横溢，一点都不为过，历史上，能像他这样在诗词、散文、书法、绘画、史学、文论、医药、饮食等各方面都卓有建树的人，环视华夏史海，极为少见。

苏轼的文学成就极高，他的诗、词和散文至今都是我国古代文学宝库中最珍贵的财富。

他与黄庭坚并称"苏黄"，代表了宋诗的典型风貌与最高成就；他与辛弃疾并称"苏辛"，开创了中国词坛豪放派的先河；他与欧阳修并称"欧苏"，其散文是唐宋八大家散文中最优美动人、自然流畅的。

信手拿来他的作品：既有描绘自然景致的"水光潋滟晴方好"，又有心灵抒发的"但愿人长久，千里共婵娟"；既有哀婉凄凉的"春色三分，二分尘土，一分流水，细看来，不是杨花，点点是离人泪"；又有波澜壮阔的"大江东去，浪淘尽，千古风流人物"。他的作品中不仅有他对社会人生的独特理解，对江山胜景的欣赏，还有对生活情趣的体会，

而这对我们来说，也是一种极大的美感享受，同时又能得到思想哲理的启迪与文学修养的教益。

苏轼不仅在文学上造诣深厚，在书法绘画上，他也表现不凡。虽然没有受过系统的绘画训练，但凭借着深厚的书法功力，他竟能"闭门造车，出门合辙"。而这无不与其心境、才情有着密不可分的关系。

在书法上，苏轼在《论书》中表达了他的观点："书必有神、气、骨、肉、血，五者阙一，不成为书也。"这种对书法的与众不同的审美令人印象非常深刻而且形象。

苏轼将书法与绘画、诗词构成了统一的整体，其书境、画境、诗境无不体现着他的人格及心境。

【苏东坡的乐观】

在惠州，他自宽自解道："罗浮山下四时春，卢橘杨梅次第新。日啖荔枝三百颗，不妨长作岭南人。"他还说如果自己本就是当地的一个秀才，并且屡试不中，那不也就要在这穷乡僻壤过一生吗？

被贬谪到海南岛，此处是当时人们心目中最远的"天涯海角"，亲友们都担心他年迈苍苍难得生还，他却唱道："枝上柳绵吹又少，天涯何处无芳草！"

"胜固欣然，败亦可喜，优哉游哉，聊复尔耳。"苏轼视人生如棋局。荣辱、穷通、得失，又何必计较？身处逆境之中，既保持一种超然物外、随遇而安的达观胸怀，又始终不放弃对人生的热爱，对美好事物追求的态度，就是苏轼的人格魅力所在。

"心如已灰之木，身如不系之舟。问汝平生功业，黄州惠州儋州。"苏轼用黑色幽默的口吻来自我解嘲，却道尽了他坎坷的一生。

朱熹：问渠那得清如许

【朱熹其人】

古代诸子百家的称谓，常是在姓的后面加上一个"子"，表示敬意，像孔子、老子、庄子、韩非子、孙子等，到后来，这种用法就较少了，到了宋代，又有一个人被称为"子"，他就是人称朱子的朱熹。

朱熹，字仲晦，号晦庵。以今天看他是福建人。父亲朱松是进士出身，曾经任著作郎、吏部郎等职，在朱熹十四岁那年，父亲因反对秦桧议和而被贬死去。十九岁时，朱熹参加乡试、贡试，荣登进士榜。他进入朝廷当官，历高宗、孝宗、光宗、宁宗四朝，后来也因为政治事件而革职回家，病逝在家乡。朱子主要的贡献在于创立了程朱学派，是集程颐、程颢理学思想的大家，也是当时著名的诗人。

朱熹是一个理学家，理学是一门比较抽象的学问。朱熹认为，理是先于自然现象和社会现象的形而上者，理是事物的规律，理是伦理道德的基本准则。他又称理为太极，是天地万物之理的总体。

绍兴三十一年（1161）秋，金马踏长江北岸，宋高宗准备出海南逃，但在右相陈康伯的竭力劝阻下作罢。不久宋军击溃了金兵，当消息传到当时朱熹求学的延平时，他欣喜若狂，写下了庆贺的诗篇。同时，他又给负责军事的大臣写信，

建议乘胜出击，夺回中原。不久孝宗继位，朱熹这时上奏孝宗，提了罢黜和议、任用贤能的建议。

这个建议让孝宗注意到了朱熹，正当朱熹兴冲冲地赶到杭州的时候，宋军在另一场战争中失利，朝廷派人议和，朱熹强烈反对，慷慨陈词。朱熹的爱国之心，日月可鉴。

【朱熹讲学】

朱熹的另一个重要的影响，就在于他聚众讲学，传播理学思想，最终创立了一个宋明理学的门派。

隆兴和议之后，宋朝甘做金朝的"侄儿"。朱熹一头钻进理学中去了，开始编写大量的道学书籍，从事讲学活动，生徒盈门。

朱熹在唐代李渤的隐居旧址庐山建立"白鹿洞书院"进行讲学，并制定了一整套学规。其内容就是：

"父子有亲、君臣有义、夫妇有别、长幼有序、朋友有信"的"五教之目"。

"博学之，审问之，慎思之，明辨之，笃行之"的"为学之序"。

"言忠信，行笃敬，惩忿窒欲，迁善改过"的"修身之要"。

"政权其义不谋其利，明其道不计其功"的"处事之要"。

"己所不欲，勿施于人，行有不得，反求诸己"的"接物之要"。

"白鹿洞书院"后来成为我国著名的四大书院之一，这一套"学规"则成为各书院遵循的规范。后来朱熹又在武夷山修建"武夷精舍"，并从儒家经典中精心节选出"四书"（《大学》《中庸》《论语》《孟子》），刻印发行。这就

是我们现在所说的"四书"的由来。

朱熹在湖南任职的时候，又主持修复了四大书院之一的另一著名书院——岳麓书院。岳麓书院成为朱熹讲学授徒、传播理学的场所，在当时几乎取代了官学。

【朱熹名句】

一粥一饭，当思来处不易；半丝半缕，恒念物力维艰。

解读：我们在生活中要常怀感恩的心，要想到一粒米、一缕丝都是别人辛辛苦苦生产出来的，因此要懂得珍惜、节俭。

读书有三到，谓心到，眼到，口到。

解读：读书有三点要做到：用心体会、用眼阅读、用口朗诵。读和诵我们都容易做到，但是心到却很难，我们常常是看书如过眼云烟，转瞬即忘。用心地读，才能够有所体悟。

自敬，则人敬之；自慢，则人慢之。

解读：自己的态度恭敬庄重，那么，别人也就能对你产生敬重之心；如果自己傲慢无礼，别人也就会用同样的态度来对待你。

问渠那得清如许，为有源头活水来。

解读：为什么泉水这样清澈？因为源头有活水源源不断地流出。人的生命之泉就是心，为什么有的人的生活那么多姿多彩？就是因为他有一颗充满想法、勇敢执着的心。

王阳明：知行合一

【 王阳明其人 】

历史上除了王阳明，没有哪一个人，能把学者、官员、统帅、教师各种角色都做到极致，他是桃李满天下的大哲学家，又是政绩卓著的官员，还能带兵打仗。难怪全国各地有许多纪念他的阳明山、阳明祠、阳明公园。

王阳明，名守仁，出生于浙江余姚，他在被贬贵州时曾在阳明洞中学习，后世便称他阳明先生、王阳明。阳明先生是明代著名的哲学家、思想家、政治家和军事家，也是继朱熹后的另一位大儒，"心学"最重要的大师。

王阳明在当时并不是一个坐而论道的理论家，他长期在平定地方叛乱的第一线上，并且患有严重的肺病，在五十六岁时辞世。穆宗皇帝撰文纪念他时说："两间正气，一代伟人，具拨乱反正之才，展救世安民之略，功高不赏，朕甚悯焉！因念勋贤，重申盟誓。"

王阳明是研究心灵的大师，想要了解心灵，就不能不读王阳明的《传习录》。在《传习录》中，人心的作用是无可替代的，人们都有一颗心，只要清楚地认识到自己的内心，就会发现，伟人和凡人的距离是那么短，人人都可以成为伟人，至少是成为一个完整的、有自己独立的见解和人格的人。同时也会看到，要成为真正不平凡的人，需要走的路也很长，因为任何成就都要通过勤奋实践得来，学习和实践是不能截然分开的。这个道理，王阳明叫作"知行合一"，即一方面是明心见性，一方面是身体力行，内外结合，才是一个大写的人。

【王阳明故事】

良知是什么

王阳明有个学生，在晚上睡觉的时候捉到一个贼，他就对贼讲："你难道没有良知吗？为什么去做贼呢？"贼大笑起来，说："请告诉我，我的良知在哪里呢？"这个时候天很热，他就对贼说："你把上身的衣服脱光。"贼照做了，他又说："还是太热了，为什么不把裤子也脱掉呢？"贼犹豫了，说："这……好像不大好吧。"他向贼大喝道："这就是你的良知！"贼立即悔悟了，向这个学生磕了个头离开了。

这个学者用一句话唤醒了贼的良知。所谓"良知"，最简单的说法，就是一个人的善恶之心、羞耻之心。其实每个人心里或多或少都有一点善良，追求美好的东西是人类的本性。

有一天，王阳明会集学生讲学，他说："假如你见到一个没人看护的小孩子，爬呀爬的，就要爬到井里去了，这时你会是什么反应呢？"

其中一个学生说："那我肯定冲上去，把他拉回来。"

王阳明说："是啊，这就是我们对事物做出的直接、本能的反应，这种本能的反应，让你发自内心地知道是为是，非为非，这不就是你真心的体现吗？"

另一个人说："我也许不会这样做，因为上个月的一天，我看到一个小孩子在路上跌倒了，我没有伸手去扶，因为他是我邻居的孩子，我和邻居正在吵架，自然不喜欢他家的孩

子，这不也是我本能的反应吗？"

王阳明说："其实你是知道要去扶一把的啊，至少你往孩子的方向看了一眼，但是你这个时候做了一个判断，正是这个判断把你的良知阻断了。这种寻找借口的行为，就是由私意而生的小智。这种小智，是蒙蔽你真正智慧的灰尘。"

人人都有良知，良知让人知道什么是正确的，什么是错误的，什么是可耻的。

李贽：不忘初心

【李贽其人】

清醒的人往往都是极其痛苦的人，屈原吟唱着"世人皆醉我独醒"，最终走向了汨罗江，很多诗人都因为无法面对现实，选择了轻生。今天要说的一个思想家，也是这样一个命运悲惨的人，他就是明末的李贽。

李贽生于明代后期，号卓吾，别号温陵居士、百泉居士等。他原姓林，中举后才改姓李。林家是世代巨商，到了祖父辈手里，家境开始衰落。李贽当过老师，担任过南京国子监博士、北京国子监博士、礼部司务、云南姚安知府等职，行走了大半个中国，在万历八年（1580）辞官归隐。

他为官期间，目睹朝廷的腐败，常与上司发生争执。在经受倭寇侵掠、灾荒贫困之后，李贽希望能找到与宋明理学不同的"道"。他曾接触过阳明先生的学说，并研究佛学。后来著有《初潭集》和《焚书》。他的书中揭露了道学家的虚伪和自私，自然受到道学家的报复，因此被下狱。那时李赟已经七十六岁，他不能忍受监狱的酷刑，于是请一位剃头师傅为他剃头，乘其不备，用剃刀自杀而亡。

【李贽思想】

有人说李贽是一个狂人，但他却能对反抗礼教的普通农家妇女顶礼称颂；也有人说他痴呆愚顽，但他却写出了令人难以释卷的佳作——《焚书》。他为了追求自由，不惜剃发出家，为了维护自己的崇高信仰，不惜挥刀自刎。

李贽提出了童心说，认为人心就像张白纸，在最开始的时候，总是纯洁无瑕的。所谓童心，就是最初的真心，它没有任何虚假的成分，但是后来，随着年龄的增长，人们知道保持好名声，掩盖丑陋的行为，追求现实的利益，所以童心就渐渐被遮掩了。

李贽是一个至情至性的人，他鄙视虚伪，有情感就大胆地抒发，毫不顾忌外界的评价。他认为人间最美的东西，就是真情实感。

李贽自己也知道，他的观点不会被正统容下，所以就给自己的著作起了《焚书》的名字。他的思想，大多体现在《焚书》中。他最痛恨维护封建礼教的假道学和那些满口仁义道德的伪道士、伪君子。他驳斥封建礼教，对统治阶级所极力推崇的孔孟之学也大加鞭挞，从《焚书》中的文字可以看出，他最恨的是虚伪，最厌恶的是束缚，最崇尚的是真情，最爱的是童真。他对社会上种种约束人的行为、扼杀人的性情的规则嗤之以鼻，他指出明朝社会"满场皆假"，没有肯说真话的人。《焚书》并没有被焚，而是靠着睿智的思辨和犀利的文笔一直流传到后世。

【李贽故事】

天下第一

有学生问李贽说："我生来就要强，凡事一定要当第一才罢休。"

李贽说："你想当什么样的第一呢？"

学生说："什么都想，要么就是学问第一，要么就是武功第一，要么就是财富第一，总之，我要努力实现自己的愿望。"

李贽说："其实你已经是天下第一了，又何必再求呢？"

看学生不理解，李贽就问道："天下有第二个你吗？你的性格、声音、气质、爱好在世界上都找不到第二个，所以，做好你自己，保持好你的个性，你就已经是天下第一了。"

梁启超：少年强则国强

【梁启超其人】

我们前面所接触的，大部分是古代的人物，甲午战争以后，难道就没有影响中国的人物出现了吗？中国国学的精神，难道就断裂了吗？非也。今天我们要说的，就是甲午战争之后的大思想家梁启超，他是中国历史上一个承前启后的人物。

梁启超是广东新会人，自称"饮冰室主人"，1873 年出生，这个说着广东话、留着清朝辫子的人，被后世冠以政治活动家、启蒙思想家、资产阶级宣传家、教育家、史学家和文学家等称号。

据说梁启超六岁就学完了五经，九岁能写出千字文章，十二岁中秀才，十七岁中举人。当时的主考官看重梁启超"国士无双"的才华，就把自己的堂妹许配给了家境贫寒的梁启超做妻子。

在北京赶考的时候，梁启超认识了康有为，并拜他为师。他们两人发起了历史上有名的维新运动，康有为的很多文章都是梁启超执笔。外国人称他是"中国罕见的高洁志士"。戊戌变法失败后，当时还留在中国的伊藤博文说："姓梁的这个青年人是个非凡的家伙！他真是使人佩服……让他逃到日本吧！到了日本我帮助他。这个青年是中国珍贵的灵魂！"此后，梁启超在日本和欧美流亡时，受到外国接待领袖的礼遇，而他那时也不过二十六岁。

梁启超在日本时，曾经向孙中山介绍过很多东南亚的华侨和日本重臣。袁世凯宣布称帝，梁启超便写了一篇《异哉所谓国体问题者》，批判袁世凯的倒退。袁世凯派人给梁启超送了一张二十万元银票，作为给梁启超父亲的寿礼，希望他笔下留情，不要发表这篇文章，但被梁启超退回。后来袁世凯派人要挟他不要自讨苦吃，梁启超回答说："我宁肯选择逃亡也不愿意在污浊空气中生存。"

【梁启超名句】

知我罪我，让天下后世评说。

解读：这是梁启超对自己的辩白，人们想怎么说就怎么说吧，这种感情颇像当年武则天的无字碑。功过是非留给后人评论，因为他们问心无愧，坦坦荡荡。

　　少年强则国强，少年富则国富，少年胜于欧洲则国胜于欧洲。

　　解读：少年智则国智，少年富则国富；少年强则国强，少年独立则国独立；少年自由则国自由；少年进步则国进步；少年胜于欧洲，则国胜于欧洲；少年雄于地球，则国雄于地球。

【梁启超故事】

饮冰室的来历

　　梁启超，字卓如，号任公，又号饮冰室主人、饮冰子。为什么他将自己的书斋称为饮冰室、自称饮冰子呢？这要考证到"饮冰"的来历。"饮冰"一词出自《庄子·人世间》："今吾朝受命而夕饮冰，我其内热与？"这是比喻唯有冰水可以了解自己内心的忧虑。梁启超为何心忧至此？当年，他受光绪皇帝之命，变法维新。当时国家临危、内忧外患都让梁启超心急如焚。如何解其"内热"？唯有"饮冰"。其忧国忧民之心毕现。

　　也有人认为，这个号出自俗语"如人饮水，冷暖自知"。他有一篇叫作《学问之趣味》的文章，其中说道："学问的趣味，是怎么一回事呢？这句话我不能回答。凡趣味总要自己领略，自己未曾领略得到时，旁人没有办法告诉你。佛典说的'如人饮水，冷暖自知'，你问我这水是如何冰冷，我即便把所有形容词说尽，也形容不出给你听，除非你亲自喝一口。我这题目——《学问之趣味》，并不是要说学问是如何如何有趣味，而是要说如何如何便会尝得着学问的趣味。"用这样的观点来理解他的号，可以想见他为学和做人勤勤恳恳、身体力行的态度。

其实，不仅从"饮冰室"可以看见他救国为学的志向，他还有几个别称，也可以看出其同样的思想。他曾自称"哀时客""中国之新民""自由斋主人"等，关心时局、宣传新思想的形象也跃然眼前了。

可怕的证婚人

1925年阴历七月初七，是传统的牛郎织女相会之日。坠入爱河的诗人徐志摩与交际花陆小曼决定步入婚姻殿堂，他们请德高望重的梁启超作为两人的证婚人。

梁启超主张一夫一妻、婚姻忠诚。所以他本来就反对徐志摩与陆小曼的结合，因为他们各有自己的家庭。但是碍于徐志摩父亲的情面和胡适的极力劝说，他还是答应出席证婚。

在婚礼上，作为证婚人的梁启超不仅没有祝福，而且还对两位新人的用情不专厉声训斥，责问之词滔滔不绝，前来贺喜的满堂宾客被弄得瞠目结舌。徐志摩只得哀求梁启超："先生，请给学生留点脸面吧！"